まる子だった

さくらももこ

集英社文庫

ピンポーン

もくじ

本文デザイン　祖父江　慎＋吉岡　秀典（コズフィッシュ）

まる子だった

こんにちは

『うわの空』の詳細

授業中、私はいつでも自己流に過ごしていた。先生の話もみんなの意見も何もきいていないのである。では何をしているのかといえば、雑誌の連載漫画《れんさいまんが》のつづきを気にしていたり、自分の欲《ほ》しいオモチャやペットの事を考えたり、外からきこえてくるチリ紙交換《こうかん》の声に耳を傾《かたむ》けたり、窓から見える山や空を眺《なが》めていたり、消しゴムのカスを集めて練って遊んでみたり、ノートの隅《すみ》にらくがきしたり、まァいろいろとやる事はあったのである。自分ではけっこう多忙《たぼう》に授業中を過ごしていると感じていた。決してボンヤリなんかしていないと思っていたし、常に何かを考えていたのだから頭もめまぐるしく使っていると思っていた。

しかし、ある日母から「あんたは毎日うわの空で生きているから忘れ物や失敗ばっかりするんだよ」と言われて首をかしげた。私のどこがうわの空なのか。そもそもうわの空って一体どういう空のこと？　母に問うと、私の前述した一連の行為《こうい》を全《すべ》てまとめたものが〝うわの空〟という状態だと教えられた。また、この〝うわの空〟という言葉はうすら馬鹿《ばか》な者に対してよく使用される事も教えられた。〝空〟がつくからといって別に晴れとか曇《くも》りなどの天気の様子を示すわけではなかったのだ。

私は母の意見に大いに不満を抱《いだ》いた。こんなに毎日いろいろ考えて頭をフル回転させ、見るもの聞くものへの空想力を広げ、暴れたりするわけでもなく静かに多忙に自分の世界を創造している私に対してうすら馬鹿の総称《そうしょう》を投げつけるとは何事か。ちょっと考えを改めて欲しい。何も「ももこは本当に素晴《すば》らしい。お母さんはこんないい子供を持って世界一の幸せ者だよ」とまでは言わなくてもいいが、それの三分の一ぐらいは言うべきであろう。三分の一がどういう事かと一例を挙げてみると「ももこはけっこう豊かに想像力を養っているね。

あたしゃそういう子供が自分の子供でうれしいよ」と、まァこんなもんだ。

そのぐらいは褒《ほ》めてほしいと私は母に要請《ようせい》してみた。しかし「あんたは怒《おこ》られているのにちっともわかっていないねっ。あたしゃ、あんたの参観会に行くたびにあんたのうわの空ぶりにゃハラハラさせられるし、先生からも『さくらさんは授業中、うわの空ですね』なんて言われて大恥《おおはじ》かいてるんだよっ。頼《たの》むからもっとしっかりしてちょうだいよ」と、しまいには泣きつかれてしまった。褒めてもらおうなんて、おかど違《ちが》いも甚《はなは》だしいといったところだ。

それからまもなくして、母がハラハラしたうえに大恥をかく日がやってきた。参観会が行われたのである。

その日の授業は『算数』であった。私の最も実力を発揮できぬジャンルのひとつである。これは他《ほか》の子供に思う存分活躍《かつやく》してもらえばよいと思い、私はいつも通り自己流に過ごす事にした。自己流に過ごすための支度《したく》は簡単だ。とりあえずノートと教科書を机の上に出し、ふで箱を傍《かたわ》らに置きあとは頬杖《ほおづえ》をついて部屋《へや》の蛍光灯《けいこうとう》の辺りを見ていればよい。時々視線を何となく黒板の方へ移動してみたり、時計をチラリと見て時間を確認《かくにん》したりすると尚更《なおさら》良い。そうする事で少しは授業に参加しているらしき印象を先生に与えることができ、自己流の世界を教師に邪魔《じゃま》される心配がなくなるからである。

準備はすぐに整った。私はろうか側の席だったため、ろうかの窓から覗《のぞ》いている母親達の視線がやや気になったがそれもそのうち慣れるであろう。授業を自己流に過ごすという行為はそんなに奇抜《きばつ》なものではないから、母親達の注目を集めることもあるまい。ふとろうかの窓の方を見てみると、うちの母の顔も見えた。私の席がろうか側の窓のそばにあるからといって、何も近くに来ることはないのになァ、と思いつつ、もう一度母の方をチラリと見てみた。すると母は、何か手を動かし、厳しい表情で私に指示を出しているようであった。

私は即座《そくざ》に「ははーん、おかあさんめ、私がチラチラとおかあさんの方を見ているから、そんなによそ見をしてはいけませんよって言っているんだね。わかったよ。もう見ないよ。おかあさんの方なんて、見てやるもんか」と思い、通常どおりの頬杖の姿勢に戻った。そしてそのまま、いとも簡単に自己流の世界に入っていった。

授業開始から約二十分、クラスメイト達は算数の問題に一生けんめいチャレンジしている頃《ころ》、私は〃もしも犬が飼える事になったら、どういう犬を飼いどういう生活になるか〃という空想で大変盛り上がっていた。もしも犬が飼えることになったら、私はおとうさんと一緒《いっしょ》に静岡《しずおか》のデパートに行き、たぶん柴犬《しばけん》を買ってもらうだろう。なぜ柴犬かといえば、大きさも手頃だし無難な犬だから親のすすめでそれになるだろうと予想されるからだ。空想なんだからもっと勝手に好きな犬を選べばいいじゃないかという気もするが、少しリアルな感じを入れた方が空想とはいえ臨場感《りんじょうかん》があって面白《おもしろ》いのだ。だからこの場合はセントバーナードやシェパードなどの大形犬ではなく、八百屋《やおや》の店先でも飼えそうな柴犬を選ぶのが正しい。

ふだんより
いい服をきて空想に
登場する自分。
チビっ
ワン
ワン
ボケーッ
〜

犬を買ってきた父ヒロシと私を見て母や姉は一応「また動物を飼うつもりだね、まったくもう…」などと少しブツブツ文句を言うだろうが、すぐに仔犬《こいぬ》のかわいらしさに夢中になり、エサを与えたり抱《だ》き上げたりして文句を言ったことなど忘れてしまうに決まっている。そしてこの仔犬には「チビ」という名前がつけられ、私は最近乗れるようになったばかりの自転車のカゴにチビを乗せ、自宅から約十五分ばかり走った所にあるれんげ畑に行ったりしてチビと一緒に楽しく笑いながらじゃれ合ったりするのだ。チビのためにれんげの花で首飾《くびかざ》りを作ってあげてもいい。友人のたまちゃんも大変に犬好きなので、うちのチビのことをとてもかわいがってくれるだろう。たまちゃんと私とチビの三人で、どこか近所の公園などにハイキングに出掛《でか》けるのも楽しそうだ。チビがいる生活になりさえすれば、私は毎朝六時に目覚め、三十分間町内を散歩し、町の人々に「おはようございます」とさわやかにあいさつをし、朝食も生卵としょう油を混ぜたやつを御飯《ごはん》にかけたりして意欲的に食べ、今とは比べものにならないほど優秀《ゆうしゅう》な気配の漂《ただよ》う子供になるであろう。こんないい話が、空想だなんてもったいない。我《わ》が家で犬を飼うことをもっと真剣《しんけん》に考えるべきである。

このように、〝もしも犬が飼えることになったら…〟という空想は広がっていた。犬がらみの空想のパターンはいつもだいたい決まっており、時々柴犬がポメラニアンになったり、ヨークシャテリアになったりという変化があるものの、必ず犬を自転車に乗せてれんげ畑へ直行するのである。そしてたまちゃんも登場してハイキングに出掛ける。その後私は犬により立派な子供に変身するのだ。

犬についての空想が一段落したので、次に〝あといくら貯《た》めれば、ブンチョウのヒナをつがいで購入《こうにゅう》することができるか〟というテーマで考える事にした。これは算数の授業にふさわしいテーマと思われる。何しろお金の計算をしようというのだから、今クラスメイト達がとり組んでいる算数のくだらない分数の問題なんかよりも、よっぽど実生活に必要な学習だ。

私はちょっと得意な気持ちで鉛筆《えんぴつ》を持った。これから計算をするのだからノートも広げようじゃないか。さて、ノートでも広げてやるかとノートに手を伸《の》ばしてハッとした。机の上に出してあったのは算数のノートではなく社会のノートであった事に初めて気づいたのだ。授業開始からずいぶん長い間、私はこの〝社会〟と自分で書いた下手《へた》な字のノートの表紙を上にして、ろうか側の母親達に見られていたのだ。当然私の母もこの〝社会〟の文字を目にしていたからこそ、さっきあんなに厳しい表情でこちらを見て指示を出していたのだ。

私はカ――ッと熱くなりながら社会のノートをおもむろに机の中にしまい、何気ないふりを装《よそお》いつつ内心は慌《あわ》てふためきながら算数のノートを広げた。広げた算数のノートには、あいにくしょうもない落書きがいっぱいしてあったので、それらを消しゴムで消してゆく作業に没頭《ぼっとう》した。

〝書いたものを消すのも楽じゃないなァ〟などと思いながら手先に力をこめて消しゴムを動かしている私にむかって先生は突然《とつぜん》「おいさくら、今先生の言ったことをもう一度言ってみろ」と言ってこちらをにらんだ。

私がどんなに驚《おどろ》き、困惑《こんわく》し、『非常事態発生!!』という気分だったか察していただきたい。教室内は静まり返っていた。みんな誰《だれ》もが「あーあ、さくらさんはきっと、先生の話をきいていなかったんだろうな」と思っているのが手にとるようにわかるし、実際その通りである。さくらさんは消しゴムで落書きを消していたので先生の話をきいていなかったのだ。そればかりではなく、その前には算数のノートすら机の上に出していなかったし、犬の事しか考えていなかった。みんなの予想以上にさくらさんはどうしようもないのである。

窮地《きゅうち》に立たされた私は、仕方なく「…消しゴムで、消していたので先生の話をきいていませんでした。どうもすみません…」と謝《あやま》った。消しゴムで、何を消していたのかという事だけはさすがに言えなかったものの、かなり正直に、そして素直《すなお》に言ったつもりだ。

先生も親達がいるせいかそれ以上糾弾《きゅうだん》しなかった。そのまま授業は続けられたが、残り時間のあいだずっと私は肩身《かたみ》が狭《せま》かった。せっかくやる気を出していたブンチョウ購入のための計算もする気がしなかった。頭の中には、今日《きょう》家に帰ったら母から言われるであろう説教の数々のパターンが飛び回っていた。先生に注意されようがされなかろうが、どっちみち授業どころではないのであった。

家に帰ると、私が想像した通りの説教を母はし始めた。「あたしゃねぇ、今日という今日はもう本当に死ぬほど恥《は》ずかしかったよ。だいたい算数の時間に社会のノートを出しっぱなしにしておいてずーっと気がつかないのも一体何考えているのかと思うし、みんなの前で先生にあんなこと言われたあとだって平気な顔してボンヤリしてるし、もうあんたのことなんてどうでもいいと思えりゃどんなに楽か。自分の子供だってことが情けないったらありゃしない」母はカンカンに怒っていた。説教が終わった後もその顔は〝怒ってますよ〟という気持ちがにじみ出ていたので怖《こわ》かった。

母が店にいるヒロシを捕《つか》まえて、今日の私の失態の一部始終をきかせていた。私は階段の陰《かげ》からその様子をジッと見ていたが、ヒロシは母の話にあまり興味がないらしく、ふんふんと適当に返事をしながらタバコを吸って新聞のTV欄《らん》を眺めている様子である。

母がヒロシに「ちょっとアンタからも、ももこにひと言いってやってよ」と言うとヒロシは「今日はなつかしのメロディーに美空《みそら》ひばりが出るんだってさ」と返したので母は怒った。「あたしの話を何《なん》にもきいてないじゃないっ。なんでもももこもあんたもそんなにうわの空で生きてるのっ!? あたしゃホントにイヤンなるよ。お姉ちゃんを連れてどっかに家出したいよっ」という叫《さけ》び声がきこえてきた。

私は笑いながら階段を駆《か》け上がり、自分の部屋で寝《ね》ころんで〝もしも母がお姉ちゃんを連れてどっかに家出してしまったら…〟という事を空想してみた。

私とヒロシとじいさんばあさんだけになったら、犬を飼うどころではないな

—…と思い、母に家出されては困るから、怒られてもなるべく逆らわないようにしようとボンヤリ思った。

自分の部屋が欲しい

私の部屋《へや》は、姉と共同であった。〃子供部屋〃と称《しよう》されていたが、ふたりまとめてその部屋でいいだろうと簡単にあてがわれただけである。

幼稚園《ようちえん》の頃《ころ》までは、特に何とも思わなかったが小学校三年生ぐらいになると自分の部屋が欲《ほ》しいと思うようになってきた。三年生の私がそう思うのだから、六年生の姉はもっとその願望が強かったに違《ちが》いない。

私は部屋をすぐにちらかしたし、虫やカエル等《など》を持ち込んで飼育《しいく》したので姉は本当に嫌《いや》がっていた。おまけに姉の持ち物を無断で借りて返さなかったり、友達を連れてきて大騒《おおさわ》ぎしたり、「部屋を模様がえする」と言い出して趣味《しゆみ》の悪い物を飾《かざ》ろうとしたり、まったく姉にしてみれば「…こいつさえいなけりゃ」と何度も思ったことだろう。

私は私なりに、〝もしも自分だけの部屋があったらどうするか〟という空想がかなり具体的に固まっていた。壁《かべ》に好きな絵や写真をいっぱい貼《は》り、棚《たな》には漫画本《まんがぼん》と小物をきれいに並べ、小さい宝箱の中には親せきのおばあちゃんにもらったお土産《みやげ》のネックレスや人形など、大事な物を入れておく。そして友達が遊びに来たりしたらこの部屋の中に招待し、小さいテーブルの上で絵を描《か》いたりジュースを飲んだりして楽しく過ごすのだ。そのためにはだいたい四畳半《よじようはん》位のスペースがあれば良い。たいして広いわけじゃないのだから、どうにかならないものだろうか。

私は親に相談してみた。しかし全く相手にされなかった。子供部屋があるんだから、贅沢《ぜいたく》を言うなというわけである。こちらにしてみれば、姉と自分をふたりまとめて〝子供〟という単位でくくらないで欲しいのだ。姉は姉、ももこはももことして考えて欲しい。そうすれば、ひとりにつきひとつずつ部屋を与えるのが当然だという考えに行きつくはずだ。それが個人の尊重というものではないか。だいたい、うちはプライバシーに対しての認識《にんしき》が全くないように思われる。子供部屋が物干し場と直結しているために母が洗濯物《せんたくもの》を持ってやたらと出入りするのもけしからん話だし、飼いネコのミーコですら我《わ》が物顔で出入りしている。時にはミーコ以外の見知らぬネコまで侵入《しんにゅう》しようとしている事さえあった。一体、私達姉妹《しまい》の事を何だと思っているのか。親もネコもみんないっぺんよく考えて欲しい。

私は姉とも部屋について話し合いをした。やはり姉も相当自分の部屋が欲しいと思っている事が判明した。それでは、半分ずつ部屋を分けようではないか、という事で意見が一致《いっち》したのでそうする事にした。

部屋の床《ゆか》に線こそ引かなかったが、だいたいどのエリアが姉の分でどのエリアが私の分だという事を大雑把《おおざっぱ》に決めた。自分のエリア内では自分の好きにしても良いが人のエリアにやたらと侵入したりましてや荒《あ》らすような事は決してしてはいけないという法律も作った。法律に違反《いはん》した場合は、罰金《ばっきん》二十円を相手に支払《しはら》うとか、罰金が支払えない場合には相手の肩《かた》を揉《も》むとか代わりに買い物に行くとか、それ相応の代償《だいしょう》を労働により支払う事にした。

　それを決めた直後、もう問題が持ち上がった。セキセイインコとジュウシマツのカゴをどっちのエリアに置くかという問題が起こったのである。姉は「インコもジュウシマツもあんたが飼うって言って飼ったんだから、あんたの方に置くに決まってるでしょ」と言っている。そうなのである。姉の言う通りなのだ。私が飼うと言って飼ったのだ。だから、本来なら私が全部ひきうけて、自分のエリアに置くのが正しい。

　しかし、たいして広くもない自分専用エリアにこんなカサばる鳥カゴをふたつも置いたりしたら、私の居場所がなくなるではないか。せめて一個でも姉の方に置かせてほしい。私は「お姉ちゃんだって、この小鳥達をかわいがっているでしょ。飼いたいと言って飼い始めたのは私だけど、この子達は今さら誰《だれ》のものとかそういうもんじゃないよ。家族の一員だよ。それともお姉ちゃんは、この子達を家族の一員として認めないって言う気?」と言った。私はいざという時うまいことを言うのだ。藤木《ふじき》のことばかりを卑怯《ひきょう》よばわりしていられない。

姉は、私の態度が気に入らないと言って怒《おこ》り出した。私も、自分でかなり強引《ごういん》な言い分だと承知のうえで言ったことだがもう後には引けない。鳥カゴを物干し場に出したまま、私達は冷戦状態となった。

お互《たが》いに、もしも相手がちょっとでも間違《まちが》って自分のエリアに侵入してきたら即《そく》罰金をとってやろうと思ってピリピリしている。相手が少しでも動いたら、すぐにそちらに視線を向け、相手の行動を監視《かんし》する。監視以外に話す事もないから始終無口でその場をやり過ごしている。もう、こんな所に居たくないと思うのだが、席をはずしているスキに相手が侵入するのではないかと思うとうっかり席もはずせない。

数時間後、やっぱり馬鹿《ばか》らしいからこんな事はやめようという事になった。

自分の部屋が欲しいという根本的な理由は、誰の目も気にせずに自分の世界を自由に楽しみたいというものだったはずなのに、こんなにお互いに監視し合っている状態では全く本来の意図と違うではないか。ふたりとも、そう思ったのである。

しかし、私はまだ諦《あきら》めきれなかった。物置き部屋をどうにかしてくれとか、ろうかの一角を仕切って部屋を作ってくれとか、物干し場を改築して部屋にしろとか、天井裏《てんじょううら》を利用できないのかだとか、親の顔を見るたびに言っていたので非常にうるさがられた。

そんなある日、私は子供部屋の片隅《かたすみ》にある二段ベッドの存在に目をつけた。せっかくベッドがあるにもかかわらず、みんな和室に布団《ふとん》を敷《し》いて寝《ね》ていたために誰もコレを使っていなかったのである。それで下段は物置きになっていたのだが、上段は丸々空いていた。

〝上をもらおう!!〟私の目はキラリと光った。誰も使っていないのだから、誰に断る必要もない。ここはもう私の場所だ。早いモン勝ちだ。

思い立ったが吉日《きちじつ》という性分《しょうぶん》なのですぐに自分の世界を作り始めた。まず押《お》し入れの奥から古いカーテンを引っぱり出し、天井に画びょうで留めて個室にする。薄暗《うすぐら》くなってしまったので懐中電灯《かいちゅうでんとう》を持ってきて壁に吊《つ》るした。テーブルがないので店からみかんの空《あ》き箱《ばこ》を持ってきて置いた。壁には好きな漫画の絵や、自分で描いた絵の他《ほか》に動物の絵ハガキ等を貼りつけた。ぬいぐるみも幾《いく》つか持ってきて並べてみた。

なんかいい感じである。さっき思いついたばかりなのに、自分ひとりの力でこんなにすてきな世界が作れるなんて、人の力ってすごいなァと感心してしまう。姉にこの部屋を見せたらきっとびっくりするであろう。うらやましがって『私もこんな部屋が欲しいよう』なんて言うかも知れないが、私にはどうしてやる事もできまい。お気の毒だが自分の力で地下でも掘《ほ》れば？　とでも言ってやるのが精一杯《せいいっぱい》だ。

私は姉の帰りを待った。早くこの部屋を見せたかったし、期待通りにうらや

わたしの夢の国へようこそ!!
かいちゅうでんとう
2段ベッドの上段
下段は物置き

ましがってもらいたかったのだ。だいたい、姉の方が日頃《ひごろ》いい目にばっかりあっている気がする。妹の私は「お姉ちゃんはいいよなー」とうらやましがってばっかりいる気がする。たまには姉にもうらやましがってもらわなくては同じ親から生まれた者として不公平だと思うのだ。

私のそんな思いも知らず、姉は夕方に帰ってきた。私はわざわざ店先まで出て行って姉の帰りを歓迎《かんげい》し、「ちょっと見てほしいものがあるんだけど」と言って姉の腕《うで》を引っぱって子供部屋まで連れて来た。

「ジャジャ――ン。見てよ、このベッドの上の段を‼　このカーテンのむこう側には、私の部屋があるんだよ。ちょっと上がって見てちょうだい」と言って私は姉に上へ登るよう指示した。

姉は実に面倒《めんどう》くさそうに梯子《はしご》を登ってゆき、カーテンのすそをチラリとめくって中を見て何も言わずに降りて行った。おいこら待て、あんたもこんな部屋欲しくない？　どうなのさ、何か言うことあるだろおい、私の心の中ではそんなモノローグでいっぱいだった。うらやましがってくれなければ、わざわざ店まで姉を出迎《でむか》えに行ったかいがないうえ面白《おもしろ》くない。

本当は、姉が自発的にうらやましがってくれる事を望んでいたのだが、何も言ってくれないのでは仕方があるまい。私も自分で言うのはイヤだけどこうなったら言うとしよう。

「お姉ちゃん、こういう部屋がちょっぴりうらやましいでしょう?」すると姉は「ぜんぜん」と言ったきり、後は別に何も言わなかった。「ぜんぜん」だったのである。私の世界はたった〝ぜ〟と〝ん〟の二字のくり返しだけで片づけられてしまったのだ。

そりゃもうくやしいったらありゃしない。自分では「これが他人の部屋だったらうらやましい」とすら思っていたのに、「ぜんぜん」と言われるなんて。全く姉はわかっていない。センスが悪いとしか思えない。

私はしばらくの間カンカンに頭にきていたが、まもなく気が静まり〝まあいいや。このベッドの部屋は私だけの場所だから、もっと工夫《くふう》してますますステキにしてゆこう。お姉ちゃんのことなんてかまうもんか〃と再び自分の空間作りへの情熱が湧《わ》いてきた。

私が本気を出そうとしている時、姉がまたやって来て「あんた、このベッド、もうじき取り壊《こわ》されるんだよ」と言い出したので驚《おどろ》いた。姉は私にいやがらせを言っているのだろうか。不審《ふしん》と疑惑《ぎわく》の表情で姉を見つめる私にむかって姉は更《さら》に「このベッドをなくして、私のピアノを置くんだってさ。さっきお母さんがそう言ってたよ」と言った。

「え…」私の顔にタテ線が入り、キートン山田のナレーションの声が流れる。「こうしてせっかく作ったまる子のくだらない部屋は姉のピアノと交換《こうかん》にあっけなく葬《ほうむ》り去られるのであった…」そしてゴ――ンという鐘《かね》の音《SE》が入る。

こんなかんじの記憶をもとにして、私の漫画はできているのである。虚《むな》しい思い出も、今となっては役に立つのだ。日々虚しさを感じている方々は、いつか何かの役に立つ日も来るかも知れないと思ってがんばってほしい。

大地震の噂

ずいぶん小さい頃《ころ》から「東海《とうかい》地方にはいつか必ず大地震《だいじしん》が来る」という噂《うわさ》をよくきいてきた。私が幼稚園《ようちえん》から小学校二年生までの間は、遠州灘沖《えんしゅうなだおき》に活断層《かつだんそう》があり、それによる遠州灘沖地震というのがもし起こった場合かなり大きいという噂が流れていた。

近所の大人《おとな》や家族の間でも遠州灘沖地震の話がよく出ていた。みんな口々に「もし来たら、一体どうなるんだろう」とか「津波《つなみ》がかなり高くまで来るんじゃないか」とか「家族が離《はな》ればなれになっている時間に来たら心配だ」というような不安な事ばかり言っていたので私も子供心に不安になった。

誰《だれ》かが言っていたように、もし家族が離ればなれになっている時間に地震が来たらどうしよう。おとうさんが市場に行ってて私とお姉ちゃんが学校に行ってたまたまお母さんが静岡《しずおか》の親せきの家になんか行っていたらもう生き別れになってしまうのだろうか。それから津波ってどのくらいまで来るんだろう。うちから海までけっこう離れていると思うのだが、こんな所まで来るのだろうか。もし来たら、どこへどうやって逃げればいいんだろう。浮輪《うきわ》でどうにかなるのだろうか。

数々の不安な疑問が湧《わ》き上がり、私はあらゆる身近な大人達にことごとく質問した。しかし、皆《みな》答えはバラバラで「そんなに心配するほどのことじゃない」という人もいれば、「地震が来たらもうおしまいだと思った方がいい」という絶望型の人まで色々いて、誰を信じていいのかさっぱりわからなかった。

しかしそのうちに、遠州灘沖地震よりもダントツに強力な大地震が来るという噂が急浮上《きゅうふじょう》してきた。それが東海沖地震である。遠州灘でさえ相当大きいと言われていたのに、しかもそれさえまだ来ていないのに、一体どういう了見《りょうけん》でそんなものが静岡県にはふたつもあるのか。

東海沖の噂をきいた時には本当に泣いてしまった。もう絶対に大人になるまで生きていられないだろうと思った。ノストラダムスの大予言よりよっぽど東海沖地震の噂の方が恐《こわ》かった。人類滅亡《めつぼう》がどうのこうの言ってるヒマがあるのなら、東海沖地震の来る日をズバリ当てて静岡県民を助けてほしい。

私は毎日神に祈《いの》った。初めのうちは「どうか大地震が来ませんように」と祈っていたがもう少し具体的に言った方が神様にわかりやすいのではないかと思い「どうか遠州灘も東海沖も来ませんように」に変更《へんこう》した。しかし、もし来てしまった場合の事を考えるとそれに備えて祈っておいた方が良いかもしれないと思い「もし大地震が起こったら、どうか助けて下さい」と言う事にした。しかし、もし助けてもらえたとしても、自分ひとりだけしか生きていないのなんてイヤである。家族も友達も、それから近所のやさしい人達や、見ず知らずの人の中にもやさしい人達がいっぱいいるだろう。ようし、こうなったら神様、いい人達をみんなまとめて助けて下さい、これだ!! 結局、「神様、どうか大地震が来ませんように。でも、もしも来てしまった時にはいい人達みんな助けて下さい。よろしくお願いします」という文章にまとまった。自分はいい人達の仲間として助けてもらえるかどうかわからないが、とりあえず祈っている本人なのでたぶん助けてもらえるんじゃないかと思い、あえて自分は強調しなかった。この祈りの文章は、かなり長年にわたり私の心の中で暗誦《あんしょう》されていた。苦労してまとめたかいがあったわけである。

東海沖大地震の噂は遠州灘沖の時よりもかなりエスカレートしていった。津波は三十メートルを超えるだろう、地震と共に富士山《ふじさん》は大爆発《だいばくはつ》するだろう、沿岸のコンビナートも爆発するだろう、地面が大きく割れ人々はそこに落ちて死ぬだろう、火事になっても消防車は来ないだろう……など、どう考えてもいい人も悪い人もみんな死んでしまうとしか思えないような噂が流れっぱなしになっていた。

本当はどうなんだろう。誰か本当の事を知っている人はいないんだろうか。

ある日先生が黒板に断層プレートの絵まで描《か》き、およそ二時間にわたって地震のしくみとエネルギーの話をしてくれたが何だかよくわからなかった。このさい地震のしくみはどうでもよいから、一体いつそれが起こるのか、そしてそれが起こったらどんな状況《じょうきょう》になるのか、その時我々はどこへどうやって逃げりゃいいのか、その三点をハッキリ詳《くわ》しく教えてほしいのだ。

生徒の中の何人かが先生に幾《いく》つか質問をした。その質問の中には、私がききたい三点も全《すべ》て含《ふく》まれていた。みんな知りたい事は同じなのだ。しかし、その三つの事は先生にもわからないという返事がかえってきた。

クラス全員が憂鬱《ゆううつ》になった。みんな、泣くに泣けない顔をしている。どうすりゃいいのか見当もつかないまま、大きな不安を抱《かか》えて生きていかなくてはならないのだ。それが静岡県民の宿命なんて、あるひとつの県民全員がそんな宿命を背負うなんて、実に奇妙《きみょう》な気がする。だが、もう二十年以上も静岡県民は実際に全員その宿命を背負って生きているのだ。誰もが東海沖のことを心の底

東海沖大地震の発生する確率は99パーセントではないのです。
100パーセントなのですよ。100パーセント。
…こんなことをキッパリいう先生もいたが
そんなことキッパリ言われたってどうすりゃいいんだか途方にくれるばかりだった。

で心配している。静岡県民の多くは陽気だし、サッパリしていておおらかだが、東海沖の事を忘れてはいない。

私は上京して静岡から少し遠くに離れたが、東海地方の地震情報にはとても注意を払っている。私が育ったあの県が、少しでも揺《ゆ》れたら心配だ。そして東京も、いつ大地震が来るかわからないと言われ続けているし、何の前ぶれもなく阪神《はんしん》大震災は発生した。

地震の恐《おそろ》しさは幼い頃からきかされてきたが、阪神大震災の映像を見た時、どんな噂で想像したものより悲しかった。みんなが生きている事とか、愛し合っている人々の事とか、健《すこ》やかに育ってほしいと愛しまれている子供達の事とか、地震は全く考えてくれない。大切なものがあろうとなかろうと、夢があろうとなかろうと、突然ドシンと来てぶっ壊《こわ》すだけだ。それでもみんな、その地面の上で生きてゆかなければならない。地面だけでなく、不安定な大気の中でも生きてゆかなければならない。どんな都会の中にいても、そこは地球という自然のまん中なのだ。私達はそこに住まわせてもらっているだけだ。

私は地球にお願いする。みんなが大事なものを抱えながら生きているのでどうかやたらと壊したりしないで下さい、と。

もし、地球がこの願いをきいてくれるのなら、あとは人間が地球を壊さないように絶対に気をつけなくてはならない。いや、地球に頼《たの》む前に人間がちゃんとする事の方が先だ。だって、人間は地球を何回も壊せるほど兵器をいっぱい持っているのだ。こんなことでは地球も不安で仕方ないだろう。人間にやられる前にオレがやってやるぜなんていう気を起こされたらたまらない。人間同士なら話も早いだろうから、とりあえず地球を安心させるべきだと私は思う。

東海沖地震の不安から地球の心配まで、私はいろいろ心配しているのだ。ちなみに、今私の抱えている一番くだらない心配は、自宅で飼っているカメが少々下痢《げり》気味で尻《しり》が汚《よご》れている事だ。地球の心配をする前に、こういうどうでもいい心配をなくせと自分でも思う。

文通をする

初めて友人から〝文通〟というものがどういうものか教えてもらった時、私は非常に驚《おどろ》きを覚えた。それまでも雑誌《ざっし》でよく〝文通しよう〟などという文字を見かけてはいたが、それがどういう事をしようと言っているのかなど一回も考えた事はなかった。そんな欄《らん》、全く目を通していなかったのは不覚であった。

まさか遠くの県の見知らぬ人と手紙をやりとりする行為《こうい》だったとは。なんという夢とロマンのある大人《おとな》っぽい遊びだろう。紙と封筒《ふうとう》と切手代だけでそんな夢とロマンを実現できるなんて、文通ってすごい事だ。

私も早速《さっそく》文通をやろうと思った。手もとにある雑誌の文通コーナーを開いてみると、〝文通しよう〟という文字の横に小さく封筒や切手のイラストが描《か》かれており、文通とは手紙のやりとりですよという意味がさりげなく表されているのに改めて気がついた。他《ほか》の子供達は文通がどういうことかみんなとっくに知っていてコレを見ていたのだ。文通コーナーのイラストに封筒や切手が描かれているのは当然だし、そこに紹介《しょうかい》されている子供達だってみんな「手紙下さい」と実に明快に文通の何たるかを叫《さけ》んでいるではないか。何年間もこのコーナーを見かけておきながら「知りませんでした」なんて言ってるようじゃ、うっかり八兵衛《はちべえ》よりまだ悪い。

さて、この文通コーナーの中から誰《だれ》を選ぶかが問題だ。私の希望としては、できるだけ遠い県の人が良い。遠ければ遠いほどロマンを感じるからである。性別は言うまでもなく女の子に決まっている。男子なんかと手紙の交換《こうかん》をしたってどうせ怪獣《かいじゅう》だのロボットだのその他もろもろのバカバカしい内容が下手《へた》な字で書かれているだけだろう。絶対女子に限る。男子なんてクラスのバカな連中だけで充分《じゅうぶん》だ。

何人か候補が挙がった。秋田、青森、九州の女の子三人だ。全員静岡《しずおか》から遠い。欲を言えば北海道と沖縄《おきなわ》が欲《ほ》しいところだったが、それは男子だったか何かの理由で該当《がいとう》する人がいなかったのであきらめた。私はこの三人全員に手紙を送ることにした。三人に書けば一人ぐらい返事をくれるだろう。

いざ手紙を書こうとしてはみたものの、全然知らない人に手紙を書くというのは難しいものだ。はじめましてから始まって、自己紹介が妥当《だとう》だろう。家族の人数やネコと小鳥と金魚がいる事も書いた方が良い。うちは八百屋《やおや》をやっているが、近くにスーパーがあるためあまり売れ行きが良くないとか、そういうことも正直に書くべきだろうか。それとも面識もない人にそこまで知らせなくてもいいんだろうか。悩《なや》むところである。もし文通をすることになればこれから長いつきあいになるのだからできるだけ正直に初めから言っておいた方がよい。しかし、もし返事が来なかったら見ず知らずの人にわざわざ我《わ》が家の恥《はじ》を報告しただけという事になる。

私は家族に意見をきいてみた。すると全員「よけいなことは書かなくてよし」と言っていたのでそうする事にした。やはり見ず知らずの人にまで、我が家の恥を文章で報告するなんてどうかしている。家族に相談をしてみてよかった。このまま自分ひとりですすめていたら、ヒロシは痔《じ》持ちだとまで書きかねないところであった。

三人分の手紙をポストに投函《とうかん》した。あとは返事が来るのを待つだけだ。だいたい二日もあれば三人に手紙が届くだろうから、三日目に三人が返事を書いて四日目にポストに入れたとしても、それから二日みて六日目には私のところに返事が届くはずだ。楽しみな話ではないか。一週間以内に遠い県から便りが来るなんて、こんなこと文通でもしなけりゃあり得ない話だ。

それから一週間経《た》ったが手紙は一通も来なかった。どうしたんだろう、三人そろってカゼでもひいているのだろうか。私はもう少し待ってみる事にした。十日経っても二十日経っても一向に手紙は来なかった。一カ月が過ぎ、やっと私は自分がフラれた事に気がついた。ガッカリした事は言うまでもない。我が家の恥を詳《くわ》しく書いたりしなくて本当によかった。

私はまだ、どうにかして文通をしたかった。ちょうどそんな折、友人が「私の文通相手のクラスの女の子が、文通相手を探しているんだけどももこちゃんどう?」と声をかけてくれたので私は大いに喜んだ。渡《わた》りに舟《ふね》とはこのことだ。千葉県《ちばけん》の子だという話だったが全然OKだ。千葉県だって静岡から充分遠い。ひとりで行けと言われても絶対行けやしない距離《きょり》だ。このさい北海道や沖縄じゃなくても千葉県でロマンは足りる。

私と千葉県の女の子との文通が始まった。今回は雑誌で選んだ相手ではないから百発百中返事が来るのは確実だ。抽選《ちゅうせん》の懸賞《けんしょう》に応募《おうぼ》したのではなく全員プレゼントに応募したようなものだ。来るんだか来ないんだかわからない返事を待つ日々より、確実な返事を待つ日々というものはなんと張り合いがあるのだろう。生活全体が生き生きとしている。そろそろ今日あたり届くんじゃないかと思っただけでお茶もおいしく感じる。

待望の返事が届いた。きれいな文字が頭の良さを感じさせ、期待は高まる一方だ。内容を読んでみるとなかなか勉強のできる子供らしく、おまけにスポーツも得意らしい。写真が同封されていたので見てみると、大人っぽいかんじのしっかりした美人であった。どう考えても私なんかと文通するにはもったいない相手である。私のほうはこの人で有難《ありがた》いことばかりだが、果たしてこの人は私と文通してこの先何かいい事あるのだろうか。

家族もみんな「いい子だねぇ」と彼女《かのじょ》のことをほめている。私のことも、彼女の家族はこんなふうにほめてくれたであろうか。とてもそんな自信はない。ほめるどころか一家そろって落胆《らくたん》しているかもしれない。そう思うと少し憂鬱《ゆううつ》になった。しかし、文通相手が立派すぎて困るなんて贅沢《ぜいたく》な悩みである。たいていの場合、期待はずれのとんでもない奴《やつ》だったりして世の中こんなもんかと思うのが関の山である。私はラッキーだったのだ。むこうにとっては期待はずれだったかもしれないが、私はラッキーだったのだからそれでいい事にしよう。

あとはできる限り、彼女に迷惑《めいわく》をかけたりせずに彼女に喜んでもらえるような手紙を書く努力をするだけだ。

私と彼女の文通は、半年ぐらいの間は好調に続いていた。趣味《しゅみ》の話や日常の話や友人の話など、他愛《たわい》ない話で盛り上がっていた。しかし、ある時彼女が好きな男の子についての相談を持ちかけてきたのである。あのまる子だったこの私に、恋愛《れんあい》の相談など持ちかけたところで名案が出るわけない。まる子に恋愛の相談なんて、私だったら絶対しない。そんなことするくらいなら、犬にでも相談した方がまだましだ。

まる子本人もそう思っていた。〝なんで私なんかに恋《こい》の相談をするんだこの人は……‼〟と思い大変うろたえた。男子なんて、全員バカだとしか思っていなかったのである。怪獣とロボットと、せいぜい気の利《き》く奴でブルース・リーのモノマネができることくらいしか能がない男子達に対し、恋心など抱《いだ》いた事がなかった。

彼女は「このことは誰にも言わないでヒミツにして下さい」と書いていたが私は誰にも言わないわけにはいかなかった。すぐに家族に相談したし学校の友達にも相談した。まる子なんかに恋の話などするからこんなふうにみんなに広まってしまうのだ。

母もヒロシも「この子、ませてるねー」と言っただけで何のアドバイスもしてくれなかった。友人達も「わかんない」と言っていた。仕方ないので私は「恋の話はわかりません。私はまだ好きな男子がいないので、ごめんなさい」という内容の返事を書いて送ることにした。

その手紙を出して以来、千葉の子からの手紙は来なくなった。自分との精神レベルの差を感じたのだろう。私は少し寂《さび》しくなったが、また別の文通相手を探せばいいや、と思いそうする事にした。こりない性分《しょうぶん》なのである。

次の相手は沖縄の子供だった。やはり友人の紹介によるものである。友人の相手が、安室奈美恵《あむろなみえ》チャンみたいなカワイイ少女だったので、大変うらやましく思い別のクラスメイトを紹介してもらったのである。

しかし、私が紹介してもらった少女は全くカワイイとは言えないタイプであった。奈美恵チャンどころか野牛《やぎゅう》に似ていた。文字も野牛らしくワイルドに走り書きしてあり雑《ざっ》だった。明らかにハズレである。だが返事を書かないのも失礼なので平凡《へいぼん》な自己紹介と写真を同封して送った。

彼女との文通は三回で終わった。私のほうから出さないようにしたわけではない。むこうがくれなくなったのである。私が何か失礼な事を書いたわけでもない。清水《しみず》の町の事や友達の事や学校の話を書いていただけである。私側に問題があったとは思えない。それなのにむこうはくれなくなったのだ。きっと、手紙を書くのが面倒《めんどう》くさくなったのだろう。私だって、言っちゃ悪いが野牛相手に手紙を書くのは面倒くさかった。牛に清水の話をしたって、一体どこまでわかってもらえているんだろうという空《むな》しさもあった。それでも、何かの縁《えん》でこうして文通をする事になったのだから、楽しく手紙のやりとりをしようと思

あけみちゃんへ

あけみちゃん、お手紙《てがみ》を、どうもありがとう。
あけみちゃんちのきんぎょ、2ひきもしんじゃったんだってね。
うちのきんぎょは、1ぴきしかしんでいません。でも、
きんぎょすくいのへただった　あけみちゃんが、あんなに
たくさんとれて、うまかったひろくんが、すこししかとれ
なかったことには、とってもおどろきました。
まだまだ暑いけど、がんばろうね。
またお手がみくださいね。
さようなら

いとこに送っていた手紙。
イラストも当時のわたしがかいたやつ。

って書いていたのにこのていたらくだ。

しょうがないので神奈川《かながわ》のいとこと文通することにした。いとこは私より四歳《さい》年下だったので当時五歳であった。届く手紙はたどたどしい字で「こんにちは」とか「またあそびにいくね」などという下手なあいさつばっかりで全然面《おも》白《しろ》くなかった。しかし、いとこのほうは私からの手紙を毎日待ちわびているらしかったので、書かないわけにはゆかず非常に損なやりとりが数年にわたり続いたのであった。

犬を拾う

ある朝学校に行くと、教室の隅《すみ》の方で数人の生徒が集まって何か見ている様子なので私も早速《さっそく》覗《のぞ》きに行ってみた。

するとみんなが見ていたのは小さい小さい黒い仔犬《こいぬ》だった。「これ、誰《だれ》の犬？　どうしたの？」ときくと、「学校のそばに捨てられていたんだって」と誰かが答えた。

教室に置いておくわけにはいかないので、とりあえず体育館の裏に連れていこうという事になった。どこからともなく誰かがダンボールの空《あ》き箱《ばこ》を持ってきたのでその中に仔犬を入れた。仔犬は不安そうな顔でダンボールの中からこちらを見上げている。私は仔犬をずっと見ていた。この子がかわいそうで仕方なかった。お母さん犬のそばにいて、おっぱいを飲んで安心していただろうに、突然《とつぜん》ひとりぼっちで捨てられたなんて、どんなに悲しくて不安だろう。

授業中もずっと仔犬のことが気になっていた。他《ほか》の子供達も仔犬のことが気になっていたらしく、休み時間になるとみんなすごい速さで体育館の裏へ走った。私も休み時間が来るたびに仔犬を見に行き、給食の時間には牛乳とパンを仔犬にあげるために持っていった。

仔犬は牛乳とパンをうれしそうに食べたので我々は安心した。食欲があれば大丈夫《だいじょうぶ》だ。小さい仔犬の小さいお腹《なか》が丸く満腹になった。かわいい小さい目が私達を見ている。私は仔犬を抱《だ》きしめた。仔犬の顔から赤ちゃんの匂《にお》いがしている。うちに連れて帰りたい。この子と一緒《いっしょ》に暮《く》らせたらどんなに楽しいだろう。

帰りの会の時、犬を拾ったクラスメイトが「誰か、犬を飼える家はありませんか。小さいかわいい仔犬なので、飼える人はもらって下さい」と全員に呼びかけた。みんなあの仔犬がかわいい事は知っているし、飼えるものなら飼いたいと思っていた。しかし、犬は自分の一存で急に飼う事はできないのだ。家族の賛成を得たうえでなければムリだ。先生も「急に今飼えるかどうかと言われても、みんなわからないと思うから、今日家の人に話してみて、明日また飼える人がいたら申し出ることにしなさい」と指示した。ちなみに先生の家にはもう二匹も犬がいるためムリだという事も言っていた。

放課後、私は夕方まで仔犬と一緒に過ごした。二〜三人の女子も一緒に仔犬と遊んだ。ずっとダンボール箱の中ではかわいそうだから、校庭や芝生《しばふ》の上で走らせたりふざけたりさせてあげた。パンや牛乳も好きなだけ食べさせた。家に帰る時間になり、この子をひとり残してゆく事に私達は心を痛めたが、連れてゆける者はいなかったので仕方なかった。残っているパンを全部ダンボールの中に入れ、フタを閉じると中から「クークー」という寂《さび》しそうな声がきこえ、私達は辛《つら》くなった。

家に帰り、私はヒロシと母に仔犬の事を話した。うちで飼いたいと申し出たがすぐにダメだとはねつけられた。ダメを承知で頼《たの》んでいるのだ。そこをなんとかしてほしい。

私は頼み続けた。店で働くヒロシと母につきまとい、「店を手伝うから犬を飼って」とか「ちゃんと世話するから」とか「勉強もちゃんとするから」とか、かなり厳しい条件まで自ら提案したがダメの一点張りだった。

夜になってもまだ私は親に犬のことを頼んでいた。しかし、いくら頼んでもダメだとしか言ってくれない。どんなに頼まれても犬はダメだと言うのである。私は「なんでダメなの？　何がダメな理由か全部教えてよ」と親に質問してみた。すると母は「うちは店をやってるし、庭もないからダメなの。おかあさんだって犬は好きだから飼えりゃ飼いたいけど、飼う場所がないじゃない。それからうちにはネコもいるんだから、こんな狭《せま》い家で犬とネコを飼うなんてムリだよ」と言った。庭がない事とネコがいる事が大きな障害なのだ。どうする事もできない障害である。庭を買うこともできないしネコを捨てるわけにもいかない。これ以上どんなに頼んでも無駄《むだ》だとわかり、私はガックリした。

犬を飼うためには、八百屋《やおや》をやめ、庭つきの家を買い、じいさんとばあさんとネコをこの家に残して私とヒロシと母と姉だけ新しい家に引《ひ》っ越《こ》さなければムリなのである。八百屋をやめたらヒロシは今さらサラリーマンになるためにどこかの会社の入社試験を受け、安月給の中から家の返済ローンを支払《しはら》い、母は家計を助けるためにパートに出なくてはならないだろう。犬一匹《ぴき》のためにそんな大がかりな事になってしまうなんてメチャクチャである。ずっと前から私は「犬が欲《ほ》しい犬が欲しい」と言い続けてきたが、「絶対にダメだ」と必ず言われたのはこんな事だったのか、と初めて真剣に受けとめた。

眠《ねむ》る前、ふとんに入ってからも仔犬の事を思っていた。今あの子がどうしているか心配だ。寂しくてクウクウ泣いているかもしれない。寒くてふるえているかもしれない。お腹がすいているかもしれない。自分だったらどんなに心細いだろう。九歳《さい》の私でさえそう思うのに、あの仔犬はまだ赤ちゃんなのだ。私は目を閉じている瞼《まぶた》のすきまから涙《なみだ》が流れてこめかみの横を通り耳の後ろに回ってゆくのを感じていた。右目からも左目からも涙が出て、両方とも耳の後ろまで回っている。一旦《いったん》涙の筋がつくと、その後ろも出るたびに同じ筋をたどって同じ所に流れ着くため耳の後ろの髪《かみ》の毛がショボショボに湿《しめ》った。

翌朝《よくあさ》、仔犬の事が気になっていた私は、食パンと牛乳を持って早目に登校した。いつもなら遅刻《ちこく》ギリギリに行くのに、今日はお姉ちゃんより早く家を出た。体育館の裏にはもうクラスメイトの女子二名が来ていた。彼女《かのじょ》らも熱心である。やはり仔犬の事が相当気になっていたようだ。仔犬は私達といるのがうれしそうだった。ひとりぼっちは寂しいに決まっている。みんなといた方が楽しいのは人間だって犬だって同じだ。

朝の会の時、当番の生徒が「きのう、家の人に仔犬が飼えるかどうかきいてきて下さいということになっていましたが、飼えるという人はいましたか？」とみんなに尋《たず》ねた。みんな、〝誰か手を挙げる人はいるかな？〟という表情でキョロキョロしたが、手を挙げた人は誰もいなかった。「誰かいねーのかよ」という男子の声がする。でも誰も手を挙げない。みんなダメだったのである。そう簡単に急に犬を飼ってくれる家なんてないのだ。先生も「犬はいろいろ大変だからなァ」と言うだけで、どうすればいいか具体的に言ってはくれなかった。

このままではあの子はどうなってしまうんだろう…みんなの胸に不安がよぎった。保健所へ連れていかれてしまうかもしれない。そんなの絶対にいやだ。かわいそうすぎるし悲しすぎる。

どうすればいいのかわからないが、休み時間のたびにみんなで仔犬を見に行った。昼休みや放課後は、仔犬と一緒に遊んだ。仔犬はみんなの事を大好きだったしみんなも仔犬を大好きだった。みんな、この子が幸せに暮らせる事を心から願っていた。

一週間が過ぎても、まだ里親はみつからず仔犬の今後はどうすればいいかわ

また明日ね…
いい子にしててね…

からないままだった。ひとりの生徒が「このまま、この子を体育館の裏で育て続けよう。三年四組の犬にしよう」と言った。みんな、〃…そんなの、どうなんだろう。いいのかなァ…〃という気持ちで顔を見合わせた。小鳥や魚やザリガニ等《など》を飼っているクラスはあるけれど、犬や猫を飼っているクラスなんて見たことない。せいぜいハムスター止まりだろう。教室内に置けない動物は難しそうである。

「三年四組の犬にするって言っても、四年生まではクラス替《が》えがないからいいけど、五年生になったらどうするの？　みんなバラバラのクラスになったら、この子どのクラスの犬になるの？」と誰かが言った。それも問題である。まして や犬は十年以上生きるのだ。もし私達が六年生までクラス替えをしなかったとしても、それから先は中学校に行ってしまう。そんな先の事、誰も責任持てるとは言えなかった。

学校で飼ってもらえないだろうか、という意見も出た。でも、みんな〃そんなのムリだろうな…〃と思った。学校で犬を飼ってもらうには、校長先生の許可が必要だろう。捨て犬を学校で飼ってほしいなどというお願いを校長先生にきいてもらえるわけがないという気がするし、校長室に入って直訴《じきそ》する勇気のある者もいない。

何も解決しないまま一週間目の今日も下校時刻になった。仔犬を箱に入れて「また明日ね」とみんな口々に別れを告げた。私も「バイバイ」と仔犬をなでて言った。そしてそれが仔犬と私達の最後の別れとなった。

次の日の朝、体育館の裏に仔犬はいなかった。先に来たクラスメイト達が箱の中に仔犬がいないと言って騒《さわ》いでいる。どこか近くに隠《かく》れているんじゃないかとあちこち探したがどこにもいない。朝の会のチャイムが鳴っても私達は探し続けた。半べソになりながら探し続けた。

でも仔犬は見つからなかった。みんな黙《だま》り、静かに泣いていた。みんなの心の中に、あの小さい黒い仔犬の姿が浮《う》かんでいる。あの子の黒い丸いお腹や、寂しそうな瞳《ひとみ》やうれしそうにピョコピョコ走る姿が次々と浮かんでいる。

どこに行ってしまったんだろう。誰かに見つけてもらって、かわいがってもらえているのならいいけど……元気ならいいけど……みんなそう思っていた。

泣きながら誰かが「もっといっしょうけんめいしてやればよかった…」と言った。もっといっしょうけんめい、みんなでポスターを作って里親を探したり、本気で校長先生に頼んでみたりすればよかったかもなァと私も思った。私は泣くのをずっとずっと我慢《がまん》していたが、トイレに入って涙をふいた。あの子の顔が赤ちゃんの匂いだった事を思い出していた。

それから一ヵ月後、突然あの仔犬が元気に暮らしているという噂《うわさ》がクラスに流れた。あの子にそっくりな犬を連れている人を見たという級友が現れたのである。

みんなまたあの子を思い出した。そして級友が見たその犬が、あの子ならいいね、絶対にあの子だよ、だってあんなにかわいらしかったんだから、と口々に言い出して騒いだ。私も、「それ、あの子に決まってるよ。ねっ」とそばにいたクラスメイトに同意を求めるとその子も「うん」と力強くうなずいた。

三年四組の犬だから、どこかで元気に暮らしているという事をみんなで信じ、この件は終わった。

ラジオ体操

せっかくの夏休みだというのに、ラジオ体操のためにゆっくり眠《ねむ》っていられないというのは今にして思えば大変つまらない事だ。

今はどうだか知らないが、私が小学生だった頃《ころ》は夏休みのラジオ体操への出席率というのがけっこう重視されていた。学校でラジオ体操出席カードが全員に配られ、出席した日はそのカードにハンコを押《お》してもらうというシステムになっていた。そのカードを見ればラジオ体操をさぼったかどうかが一目でバレてしまうのである。そのうえそのカードを新学期にはクラス担任に提出しなければならなかったので、できる限り出席した方が良いのであった。

初日から、朝起きるのが辛《つら》い。六時に起こされるなんて、学校に行く日々より早いではないか。休みの意味が全くない。私は「今日は休む。明日も行くかどうかわからない…」と早速《さっそく》くじけた。母は「初日からだらしないこと言うんじゃないよっ。さっさと起きなさいっ」と怒《おこ》っている。しかし、私はどんなに怒られても眠りたかった。母の文句なんて眠ってしまえば聞こえやしないのだからもっともっと深く眠ろうと思いそれを実行した。全然私が起きようとしないので母はますます怒り、「起きないとお尻《しり》ぶつよっ」と言い出した。尻をぶったくらいで気が済むのならそうすればいい。私は眠り続けた。すると予告通り尻を叩《たた》かれ痛みが尻に広がった。意外と痛いものである。尻なんて、ぶたれる場所として用意されている体の部品だと思えばぶたれたって痛くもないだろうなどと尻の存在を軽《かろ》んじていたが思いのほか痛かったので少し大切にしてやらなくてはいけない。私は尻を守るために尻の筋肉に力を入れて固くした。尻つぼみという体勢になったわけである。こうしてやれば、再び尻を叩かれても今度は多少痛みに耐《た》えられるうえに相手も固い尻を叩いて手にダメージを受けるであろう。守りと攻撃《こうげき》がいっぺんにできて効率的だ。

固くなった尻がもう一度ぶたれた。痛みはさっきと変わらなかった。相手も全くダメージを受けた様子がない。尻つぼみ作戦は失敗した。これ以上もたもたしていると、もっと攻撃を受けるかもしれないので起きた方が賢明《けんめい》だ。そう思い起きることにした。

起きろと言うから起きたのに、母はまだカンカンに怒っていた。初日から休むと言い出した事や、尻をぶつよと言っても起きなかった事などが気に入らなかったらしい。あんまりうるさいので「うるさいねぇ、起きてやったんだからもういいでしょ」と言うと、起きてや・っ・た・というのが気に入らないと言ってまた怒っている。むこうにしてみりゃ「起こしてやった」のだから感謝すべきだという言い分らしい。とんでもない話である。こっちは起こしてくれなんて頼《たの》んでいない。むしろ頼むから起こさないで欲《ほ》しいと頼んだくらいだ。それを全く逆の事をされて、ごていねいに感謝までしてたらただの馬鹿《ばか》じゃないか。私は起きてくれと頼まれて、尻までぶたれたから仕方なしに起きてやったのだ。

起きてくれてありがとうと言って欲しいのは私のほうだ。

私が仏頂面《ぶっちょうづら》をしているので母はまだ怒っていた。よくもまああんなに文句を言えるものだと感心する。口が痛くならないもんかと心配だ。姉もヒロシも黙《だま》って母の文句をきいている。下手《へた》な事言って自分の方にまでとばっちりが来たら面倒《めんどう》なので黙っているのが見え見えだ。だが彼《かれ》らの態度は正しい。私も彼らならそうする。だいたい毎朝母は文句を言って怒っているのでもう習慣になっているのだ。

母が台所から去ると一同ひと息つき、ヒロシが「また怒られたなァ」と私に向かって面白《おもしろ》そうに言うので私も「うん。いつも通りだね」と言うと、またヒロシが「ももこは〝ぱなし人生〟だもんなァ」とおどけた顔で言った。ヒロシの言う『ぱなし人生』とは、〝怒られっぱなし〟〝やりっぱなし〟〝散らかしっぱなし〟等《など》、ぱなしにつながる行為《こうい》はたいていろくなことがないので私の人生を〝ぱなし人生〟と名付けたのであった。ヒロシにしてはうまい事言うなァと初めてぱなしが出た時には感心したものである。

ヒロシが市場へ行った後、私と姉は一緒《いっしょ》に家を出て集合場所の神社に向かった。夏の早朝はとても気持ちがいい。辛い思いをして起きたのだから、このくらいの気持ち良さを体験できるのは早起きのごほうびである。同じ町内の子供達が次々と姿を見せ始め、皆《みな》神社に向かって歩いてゆく。セミの鳴き声が響《ひび》きわたり、今日も暑くなりそうだ。

六時半になりラジオ体操の歌が流れ始める。夏休みらしいなァとしみじみ思う瞬間《しゅんかん》だ。あたらしい朝が来たんだよな、希望の朝かもなァ、喜びに胸を広げようじゃないか、大空も仰《あお》ぐといいもんかもしれないなァ…と次々歌詞どおりの感慨《かんがい》にはまってゆく。そして自然に〝さて体操だな〟という気持ちになり、気がつくと腕を振り上げる運動などをしている。ラジオ体操の誘導《ゆうどう》もたいしたものだ。

体操をしている間、「…なんでこんなことやってるんだろう…」と冷《さ》めた気

ラジオ体操の帰り道でセミのぬけがらをみつけてあつめていた。
あっみつけた!!
やった。とろう。
コレ
…すでに妹は先に帰ってしまっている。

持ちになったりするが、上半身をグルグル回したり飛び跳《は》ねたりする事に翻弄《ほんろう》されてすぐに冷めた気持ちは消えてゆく。しかし、少し呑気《のんき》な運動になるとまた「…なんでこんなことやってるんだろう…」と冷めた気持ちが復活してくる。だが再びリズミカルな運動になると翻弄されてそれに没頭《ぼっとう》してしまう。ラジオ体操はそれの繰り返しである。ふと冷静になる瞬間があるのが面白いところだ。

深呼吸して体操は終わる。終わったとたん皆いっせいにスタンプを押してもらうために社務所《しゃむしょ》に走る。わ——っというかんじで子供達が社務所に群らがるのでスタンプ押し場は大混乱となる。何もそんなにあわててスタンプを押してもらわなくてもいいじゃないかと私は思っていた。早く行ったらいい物をもらえるのなら走るけれど、一番早く着いたってスタンプを押してもらうだけなのだ。それならゆっくり行った方が混乱に巻き込まれずに済むし疲《つか》れもしない。姉もそう思っていたらしく、私達はいつもスタンプを押してもらうのがビリの方だった。

家に帰ると朝食ができていて、母が「ほらほら体操をしてきたあとに食べる朝御飯《ごはん》はいつもよりおいしいよ」と言ってはりきっている。さっきまであんなにカンカンに怒っていたのにもうすっかり調子が良くなったようだ。いつまでも私が起きなかった事などを引きずっていられたらたまらないのでホッとした。

朝食を食べ終わってもまだ七時四十五分頃である。下手すりゃまだ学校に行っていない時間だ。なのに今日はもうさんざん運動をして御飯を食べ、母の文句も多めにきいた。朝っぱらから大仕事をしたのだから少し休んだ方が良い。そう思い眠る事にした。

私が台所の床《ゆか》で寝《ね》る体勢に入っていると、母は「まさかあんた寝るんじゃないでしょうねぇ」と言うので私は見ればわかるだろと言いたいところをていねいに「寝るつもりです」と言った。人がていねいに言ったにもかかわらず、母はまた怒り出した。

朝から寝たら早起きしたかいがないと言って怒っているようだ。朝の涼《すず》しいうちに宿題をやれとも言っている。あのうるさい口にガムテープを貼《は》りつけてやりたい。そうすりゃ少しは黙るだろうか。私はラジオ体操にちゃんと行ったのだ。まだ文句を言うなんて文句を言うのが趣味《しゅみ》だとしか思えない。そんな変な趣味、いくらお金がかからなくてもやめてほしい。

そんな私の気も知らず、寝ようとしている私に向かって母はまだ文句を言っている。台所なんかで寝るなと言うのである。「別にいいじゃん、どこで寝たって」とうとう私は言い返すことにした。そろそろ母にも夏休みの意味をちゃんと理解してもらわないとこの先まだまだ長いのだから毎日これではやってられない。

「休みなんだから休ませてよ。休むってことは寝ころんだり眠ったりすることでしょ。夏休みは夏のあいだゴロゴロしてろっていうことだからね」と私は言った。そう思っていたし、今でもそう思う。ラジオ体操だって何もムリして行かなくても良かったのだ。イヤイヤ体操したって体にいいわけない。白紙のスタンプカードをバーンと提出するぐらいの度胸《どきょう》がなけりゃ次郎長《じろちょう》の生まれた清《し》水《みず》で育った価値がないってもんだ。

私の〝寝て暮《く》らす発言〟をきいた母はますます怒り、「あんたねぇ、休みだ休みだって言っていつだってゴロゴロしてるじゃないの。休みはちゃんと働いている人がとるもんだよ。あんたなんて休みっぱなしじゃないっ」と言った。

そこへ市場から戻《もど》ってきたヒロシがちょうどやってきて母の怒りの声をきき「お、ももこ、またぱなし人生だな。休みっぱなしの怒られっぱなし」と言っておどけた顔をしたために私は大笑いした。母はおどけた顔のヒロシに向かって「ばからしいったらありゃしない」と言い捨てて洗濯物《せんたくもの》を持って物干し場に去った。母にしてみりゃ自分が子供に説教している最中《さいちゅう》に、夫がおどけた顔をして乱入してきたりしたらばからしいったらありゃしないと思うであろう。役に立てとは言わないから、せめてそんな顔して邪魔《じゃま》をするのはよしてくれと思うのは当然だ。

だが私はヒロシの乱入のおかげで助かった。ヒロシが「ぱなし人生もなァ…」と言うので私も「…うん、ぱなし人生もねぇ、大変だよね…」と言った。大変だがこれが私の人生なのだ。夜になれば早く寝ろと怒られ、朝になればまた早く起きろと怒られ、ぱなしは続く。

ラジオ体操さえなければ、もう少しは怒られずに済んだと思う。朝と夜にゆっくりできればそれでよかったのだ。こんなに苦労して毎日がんばっても、得る物はスタンプが押されたカードと町内からのごほうびのノート一冊、それと担任に提出する時に恥《はじ》をかかなくて済むというちょっとした精神面での安定が得られるだけだ。夏休みの朝と夜の代償《だいしょう》としてはあまりにも報《むく》われない気がする。それがぱなし人生を送った私の感想だ。

七夕祭り

七月と八月は、祭りの季節である。私の住んでいた清水《しみず》では、七月上旬《じょうじゅん》に七夕《たなばた》祭りがあり、中旬に巴川《ともえがわ》の灯籠《とうろう》流しがあり、八月上旬に港祭りがあり、中旬から下旬にかけて町内ごとの神社が独自に小さいお祭りを行う。七月八月の二カ月間は子供にとって夏休みと共にお祭りの楽しみが加わり、うれしさ大爆《だいばく》発《はつ》なのである。

私なんかもう、六月に入った頃《ころ》からまず七夕のことを考えただけで大爆発しそうになっていた。〝ああ——…早く七月が来ないかな。七夕祭りだよ七夕っ!! あれに行くんだよ、ゆかた着てさァ…〟と授業中の空想はもっぱら七夕祭りの事ばかりになる。今年も金魚すくいをし、水中花《すいちゅうか》を買ってもらい、りんごあめも買ってもらい、ヤドカリも買ってもらうのだ。海ほおずきとヨーヨーも買ってもらおう。そして帰り道ではソフトクリームを食べながらお父さんのいつも行く飲み屋へ寄り、柳川《やながわ》とエビ天を食べるのだ。なんて楽しみなんだろう。窓から見える六月の空は雨雲だけど、この梅雨《つゆ》が去り七月の夏空が広がる頃には七夕祭りだ。胸が躍《おど》るというのはまさにこういう状況《じょうきょう》をいう。胸のあたりが居ても立ってもいられない感じでピョンピョン躍り出してゆきそうだ。

　こんなにも激しいわくわく感を感じることは大人《おとな》になってからめったになくなった。逆に言えば、子供の頃はどうして祭りひとつであんなにもわくわくしたのだろう。山本リンダの歌の中に「♪祭りが近いだけでも体じゅうが燃えてしまうの〜」というのがあったが、当時それを聞いて「そうそう!!」と大納得をしていた覚えがある。まさにそんなかんじだったのだ。大人になった今のほうが、子供の頃より面白《おもしろ》い事がいっぱいあると思う。だが子供の頃のように、「ああ〜〜〜楽しみだ。もう楽しみで楽しみでたまらないからダッシュで走っちゃえ」なんて事にはならない。子供の頃はダッシュで走る事がよくあった。全力で走らずにはいられないあのわくわくエネルギーがなつかしい。

祭りの当日になると、私はわくわくエネルギーを利用して超スピードのダッシュで家に帰り、風呂場《ふろば》に飛び込んで行水《ぎょうずい》をし、母にゆかたを着せてもらって夕方になるのを待った。

ヒロシがいつもより少し早目に店を閉める準備をしている。母は二階で出掛《でか》けるために化粧《けしょう》をしている。姉と私は祭り気分をますます盛り上げるために店先で線香《せんこう》花火をする。小さい火花を見つめている間も、これから行く七夕祭りへの期待がこみ上げ、「お姉ちゃんお姉ちゃん、あんた金魚すくい何回やる？」などとついついきいてもきかなくてもどっちでもいい事を姉にきいたりしてしまう。

両親の出掛ける準備が整い、いよいよ七夕祭りに出発だ。道路には祭りに向かう人々が大勢そぞろ歩いており、ゲタの音や子供の笑い声などが町中に夢のように響《ひび》いている。夏の夕暮《ゆうぐ》れが夜になり始めた空を巴川の橋の上から眺《なが》める時、夢々しい気分は絶頂となった。

七夕祭りが行われている商店街は、入口からたくさんの七夕飾《かざ》りが飾られている。大きなくす玉はもちろん、各商店の工夫《くふう》をこらした色々な凝《こ》った飾りが次々に姿を現す。むせかえるような笹《ささ》の香《かお》りとさざめく飾りの紙の音が七夕祭りらしさを演出している。

さて金魚すくいの店にたどり着いた。金魚すくいの屋台は他《ほか》にも沢山《たくさん》あるのだが、私達は毎年必ず〝金魚すくいならこの店!!〟と決めている店があった。この店の金魚は丈夫《じょうぶ》なのである。他の店の金魚は二～三日ですぐに死んでしまうのに、この店の金魚だけは長生きをする。もう何年も生きているこの店の金魚が我《わ》が家にはいっぱいいる。そんなに金魚がいっぱいいるのなら、もう金魚すくいなどしなくてもいいじゃないかと思うだろうがそういうものではない。金魚すくいという遊びは金魚をすくうことを楽しむもので、純粋《じゅんすい》に金魚を欲《ほ》しくてやるわけではない。とった金魚を飼うことは、金魚すくいのオマケなのだ。

しかしオマケといえどもそれはそれなりに我々を楽しませてくれるので、すぐ死ぬ金魚よりできるだけ長生きする金魚が欲しいのである。

この店に決めている理由のもうひとつに、〝タモがウエハースではなくて和紙である〟ということが挙げられる。これも重要な条件である。いくら丈夫な金魚を扱《あつか》っている店でも、タモがウエハースだったら私は絶対にやらない。正直って、タモがウエハースの金魚すくいなどやる意味がない。水に入れたとたん溶《と》けてしまうような馬鹿《ばか》らしいウエハースなど話にならない。タモは和紙に限るのだ。

私と姉は三回分のタモと金属製の茶わんを受けとり、金魚のウョウョ泳ぐ〝すくい場〟の前に立った。裸《はだか》電球の光に照らされて泳ぐ赤い金魚達の姿は最高のときめきを私に与えてくれる。

私はタモを水面に対し45度の角度で慎重《しんちょう》に水の中へさし込んだ。タモを水中に入れる時、無神経に入れてしまうと和紙へのダメージが大きく、最悪の場合は入れたとたんに破ける事もあるので細心の注意が必要なのだ。この件に関しては、タモを水中から外に出す場合にも同様の事が言える。

タモを水中に入れた後は、いよいよ魚を追う行動が始まる。タモの移動は常に水面と平行を保つ事が肝心《かんじん》だ。少しでも平行さを失うとあっというまにタモに水圧がかかり、和紙がポワ〰〰ンと頭の悪そうな破け方をするのである。金魚をすくってもいないのに、たかが水圧なんかでタモを破ってしまったら情けない。もちろん私はそんなヘマはしない。私の紙を破るのは、金魚の力と重さだけだ。

私は慎重にタモを移動しながら何匹《びき》かの金魚をコーナーへ追い込み、その中から一番都合の良い金魚はどれかと即座《そくざ》に判断をする。都合の良い金魚とは、水面近くを泳いでいてしかも体があまり大きくないやつをいう。コーナーに何匹か追い込むと、この条件に合うやつが一匹はいるのである。それに狙《ねら》いを定め、一気にそれをすくいにかかる。

狙われた金魚は〝げっオレかよおい、やだな、許してくれよ〟と言っているに違《ちが》いない様子で逃《に》げまどう。でも許さない。彼《かれ》は何も悪い事はしていないのだが逃がすわけにはいかない。だってこれは金魚すくいなのだから。

タモを金魚の下に持ってこれたらあと一息だ。金魚をタモの上に泳がせたまま、少しずつタモの角度を変えながら、最終的には60度ぐらいの角度にして金魚をすくい上げ、手早く器《うつわ》に金魚を投げ込む。この60度という角度が大切なのである。タモの上に金魚が来たからといって、あわててそのまますくい上げると水圧と金魚の重さでいっぺんに大穴があいておしまいとなる。慣れない素人《しろうと》がよくやる失敗である。そんな人を見かけると、「あーあーアンタ、金魚すくいってもんはねえ…」とちょいと説教してやりたくなる。金魚すくいは水圧の事を計算しながら冷静にやらなければダメなのである。水圧と冷静、このふたつを肝《きも》に銘《めい》じておけば、よっぽど運が悪いか運動神経が鈍《にぶ》くない限り一匹はとれるはずなのだ。私がこう言い切る自信の裏には、長年にわたる金魚すくいでの経験から得た知恵《ちえ》がある事を忘れないでいただきたい。さっきからいたずらに金魚すくいがどうのこうのとえばって言っているわけではないのだ。

姉もかなりうまい方なので、私達はふたり合わせて五十四以上とった。他の客や店の人からも「あんたたち、うまいね」という賞賛の声をかけられ、しばし誇《ほこ》らしい気持ちに酔《よ》い痴《し》れる。だが、どんなに褒《ほ》められたってたかが金魚をたくさんすくっただけなのだ。よく考えてみれば、金魚すくいなどうまくない人の方がよっぽどまともだ。こんなことだけやけにうまい奴《やつ》なんて信用できない。

金魚すくいを満喫《まんきつ》した後はヤドカリを買ってもらう。姉はヤドカリには全然興味がないため、他の屋台でアクセサリーを買ってもらっている。ヤドカリの次は海ほおずきを買ってもらい、その次はりんごあめを買ってもらい、その次はヨーヨーを買ってもらい、最後に水中花を買ってもらう。毎年ヒヨコの店の前で「ヒヨコも買って」と一応頼《たの》んでみるが「前に買ってすぐ死んじゃったでしょ」と必ず言われて買わずに去る。私もヒヨコはたぶんムリだろうな…と初めからわかっているので「…やっぱりね」と思い、それ以上しつこくねだることはしない。

次々と予定通りの物を買ってもらえた私と姉はうれしくてうれしくてたまらず、帰り道にソフトクリームを食べながら「お祭りっていいよね」などと言い合い、金魚すくいでとった金魚が元気かどうか時々調べたりしながら歩いた。そうこうしているうちにいつも行く飲み屋の前に着き、四人揃《そろ》ってのれんをくぐる。

その店は川沿いに建っているので窓を開けると川の匂《にお》いのする夜風が流れ込んでくる。父はキリンビールを注文し、姉と私は三ツ矢サイダーを飲みながらエビ天と柳川が来るのを待つ。待っている間もお祭りで買ってもらった物を並べて見たりしている。そして、また姉と「お祭りっていいね」などと言い合い、今日の七夕が終わっても、まだまだこれから八月末まで幾《いく》つもの祭りが次々と

あんたたち また今日も エビ天で いいので、
おーっ 巴川が みえる!!
うふふ
ももこっ
エビ天で いいかって きいてるよ
川沿いの 飲み屋の ざしきの一角

控えている事などを夢心地《ゆめごこち》で喋《しゃべ》りまくり、うれしすぎてふたりで「キャー」と叫《さけ》んだあたりでエビ天と柳川が運ばれてくる。

幸せとは、だいたいこんなもんだろう。私はとてもそんな気がする。

休みたがり屋

私はとにかく〝休みたがり屋〟であった。幼稚園《ようちえん》の頃《ころ》からどうにかして休む方法はないかと毎日考えながら生きていた。腹や頭が痛いというよくある手もザラに使っていたし、体温計をこたつで38度まで温めてニセの体温を母に見せつけまんまと休みを手に入れた事もある。もっとひどい場合には「この弁当箱はいつも使っていたのと違《ちが》うじゃん。こんな弁当箱では学校にいけないよっ」などと些細《ささい》な事にイチャモンをつけ、ヘソを曲げたふりをして親を大いに困らせた挙げ句に休んだ記憶《きおく》もある。

なぜ私がそんなに休みたがりだったのかといえば、単に学校よりも家の方が好きだったのである。家にいれば好きな時に飲み食いができ、TVも観《み》れるし漫画《まんが》も読める。好き放題眠《ねむ》ってられるのもいい。学校に行っていたら算数や体育やその他つまらない企画《きかく》が目白押しだ。オナラのひとつもできやしない。どう考えても家の勝ちだ。

しかしながら、毎度おなじみの仮病《けびょう》やイチャモンで毎日学校が休めるわけはない。ある日、「子供が学校へ行く事は法律で決められてるんだから、やたらズル休みしようとしたりすると警察に捕《つか》まるよっ」と母に言われた時には驚《おどろ》いた。「法律で決まってるのかァー……」というどうしようもない諦《あきら》めが心の奥に沈《しず》んでいった。ズル休みをして警察に捕まった子供の話などきいた事がなかったが、もしかしたら自分が知らないだけで本当にいるのかもしれない。警察に捕まったらオリの中に入れられ、あとは毎日泣き暮《く》らすだけだ。そんなことになるくらいならまだ学校に行った方がましである。家にいるよりは面倒臭《めんどうくさ》いがオリに入るよりは全然楽しい。学校に行く事は法律で決められている事を知ってから、私は仮病の回数をかなり減らした。それでもまだ〝たまにゃ仮病を使っても、うまく休めりゃ警察に捕まったりすることもないだろう〟などと思って時々仮病を使っていた。だがそれも年に一、二回の話である。

　仮病で休んだ日というのは実に楽しく過ぎていった。前述したとおりの飲み食い睡眠《すいみん》し放題、TV漫画三昧《ざんまい》、眠る前には充実《じゅうじつ》した一日を振り返り、「ああ今日はとても良い日でした。神様、もしできたら明日もこのまま良い一日にして下さい」などと図々《ずうずう》しいたわ言を神に依頼《いらい》して目を閉じた。だがその依頼を受けてもらった事は一度もない。翌朝《よくあさ》は必ず「もう治ってるでしょっ」と母に冷たく言い放たれてしぶしぶ学校に行くのであった。

　仮病ではなく、本物のカゼをひいた時の私は大変である。もう見るからに具合いの悪い様子になる。目は虚《うつ》ろになり顔色は赤か青のどちらか、つぶやくセリフも「寒い」か「暑い」のどちらか、体の関節に関しても「痛い」か「だるい」のどちらか、そのような二者択一《にしゃたくいつ》の多い状態になりよろめきながら歩いたりする。そんな様子になればさすがに親も「これは本物だ」と思い学校を休ませてくれる。休ませてくれるどころか「行く」と言っても休ませるであろう。

「行く」と言ったことはないので定かではないが。

本物になった時は非常に辛《つら》く、休める事を喜んでいる余裕《よゆう》もない。熱が38度を超えようものならもう死ぬかもしれないと深刻になる。大げさにきこえるかもしれないが私は平熱が35度台という低さのため、熱に弱いのだ。37度も出れば目まいと悪寒《おかん》で全身ぎこちなくなる。それが38度に達したら、死ぬかもしれないと思うのも当然であろう。

38度に達した私の頭の中は、中国の旧正月の時に街中をうねり歩く竜《りゅう》が大荒《おおあ》れしているような感じがする。なんかもう、手のつけられない高温の火の玉が脳の中をゴロゴロ駆《か》け巡《めぐ》っている気もする。グッタリと倒《たお》れ、トイレに行く事さえ足がもつれてままならないため、部屋《へや》の隅《すみ》に小便用の桶《おけ》を置いてもらう。この桶の所に行くのですら困難をきわめ、よろけて小便の入った桶をひっくり返して大騒《おおさわ》ぎになった事もあった。ろくでもないとしか言いようがない。

完全にカゼに支配されている時は「…もうカゼなんてひきたくない…学校を

休むことなんてうれしくも何ともない…早く治りたいよう…」と苦しみに悶《もだ》えながら思うのだが、少し治りかけて体がラクになり始めるともう学校を休めるうれしさがこみあげてくるのである。早く治っちゃ困るとすら思う。早く治っちゃ困るのだから、良く効く薬など飲みたくもない。ちょっとだけカゼをひいている状態を保ちたいのである。辛くないけどカゼはひいている、こういうのが一番良い状態なのだ。だから薬は飲んだふりをして枕《まくら》の下などに隠《かく》しておく。薬を飲まなければカゼ菌《きん》も死滅《しめつ》するのに時間がかかるため、一番良い状態を長期間持続させる事が可能になるであろう。そう考え、薬を飲まないで母の目をごまかしカゼを長びかせた事もあった。そんなことをしてまでも、小便桶を片隅に置いてある部屋にいたいのかキミは、と今問われれば「いえ、それほどでもありません」と言うつもりだが当時の私は小便桶ウイズ・ミーという方を選んだのだから自分の事とはいえ気が知れない。

カゼが治りかけて調子に乗ってはりきって休んでいたある日、友人が本宮《もとみや》ひ

本物のカゼのとき
熱によるめまいで
小便桶をひっくり
返して大さわぎ。
あっ
クラ…
バシャ

ろ志《し》の『男一匹ガキ大将』全巻を見舞《みま》いに持ってやってきた。どうせヒマだろうから、この漫画でも読んでみろというのである。私はそれが少年漫画だった事もあり、少々読む気がしなかったのだが友人は「とにかく読み始めたらもう止まらないくらい面白《おもしろ》いから」と言うので一応読んでみる事にした。そしたらなるほど止まらなくなった。『男一匹ガキ大将』というタイトルからも察しがつく通り、男気《おとこぎ》あふれる感動と激情とスリルと涙《なみだ》のガキ大将の物語なのである。つまりどういう話なのかと言われると、このガキ大将がどうにもこうにもすごいんだとしか言えない。長い話なのでいろんな事が起こるのだ。そしてそれがいちいち「うお――っ」と声をあげてしまいそうになるような熱い男気なのである。

全巻を一気に読んだ私は下がりかけていた熱が興奮によりうまい具合いに上がったので、翌日も学校を休むことになった。もちろん漫画をかしてくれた友人には感謝の気持ちでいっぱいであった。薬を飲まない手段以外で、こんなにエンターテインメント性のある楽しいカゼの長びかせ方を体験したのは初めてだったからだ。

時々、カゼ以外でも学校を休める日というのがあり、こんな日は心の底から幸運を感じる。例えば親せきの、見た事もないおじいさんだかおばあさんだかの法事などがそれだ。いつぞやの時代に生きていた自分の先祖らしき人の五十回忌《き》とか言われても、全く何の感慨《かんがい》もないのに学校だけは休めるなんて、こんないい目にあっていいものか。こんないい事がまだないかと思い、親に「他《ほか》に先祖で死んでる人は誰《だれ》と誰でいつが法事か」としつこくきいたがそんなにうまい具合いに法事ばっかりあるものかと言われた。たまに学校が休めるだけでも有難《ありがた》く思えという事だろう。

法事の日は遠くからいとこが来たりして、久々の再会を喜び早速駄菓子屋《さっそくだがしや》に走りクジ等《など》をひき大いに盛り上がる。自分達が今日何で学校を休んでいるのかなどという事はもうすっかり忘れている。午前中、ひと通り自転車で近所を走り回って家に戻《もど》った頃、親やその他の親せきの大人《おとな》から「あんた達、遊んでるんじゃないよ。今からお寺に行くよ」と言われてようやく見た事もないじいさんだかばあさんの法事だった事を思い出す。

寺に行ってもお経《きょう》の途中《とちゅう》で「つまらないから外で遊ぼう」と言い出し、いとこと一緒《いっしょ》に外へ出ておにごっこ等をやる。寺の中では法事が行われている事などすぐに忘れて「キャーキャー」と大騒ぎをしていたため、何度も大人から怒《おこ》られたが全くこりる気持ちがない。法事が終わって出席者にお茶とお菓子が出され始めた頃に、すました顔で寺の中に戻って席に着く。それで菓子を食べてお茶を飲み干したら法事は終了《しゅうりょう》だ。見た事もない先祖のじいさんだかばあさんよ、今日はどうもありがとう、五十回忌おめでとう。今後またこういう機会があったらよろしくね、そんな気持ちで寺を出た。子孫がこんなに法事を楽しんだのだから、先祖もきっと喜んでくれたに違いない…と思いたい。

このような休みたがり屋の私にとって、漫画家という職業はひとつの理想的な憧《あこが》れであった。子供の頃から〝漫画家はいいよなー…毎日家にいて漫画を描《か》いてりゃいいんだもん。そんな暮らし、夢だよなー…〟と思っていた。

その願望が強かったために、今私はこうして漫画家になれたのである。家の中にいたいというささやかな願いが神に届いたのだ。あまりメチャクチャな野望だと叶《かな》えてもらえないかもしれないが、〝家ン中にいたい〟ぐらいの望みなら叶えてもらえる事を私は知った。今の私の望みは〝みんな元気に暮らしたい〟とか〝平和な毎日がいい〟とかそういうものである。その望みをもっと細分化してみると〝今日も便通《べんつう》が良くありますように〟とか、〝交通事故が起こったりしませんように〟とか、〝どっかの国で戦争したりしませんように〟とか、そういう望みがいろいろだ。よその国の事までとなると、ちょっとささやかな願望とはいえないんじゃないかという人もいるだろうが、こういう事を個人が地道に考えることこそ世界平和への第一歩につながってゆくのだ。私はそう思う。だから子供のささやかな〝ズル休みしたい〟程度の願望も、もっと成長すれば世界平和につながるような立派なものかもしれないと、親は少し温かい目で見守ってあげるのも良いかもしれない。

誕生パーティーをひらく

私の苦手なもののひとつにパーティーがある。二十三歳頃《さいごろ》に気づいたのだが、どうも人が多く集まって華《はな》やかなムードでワイワイしている場所に居るのが辛《つら》いのである。知っている人がいたり知らない人がいたり、ちょっとだけ知っている人がいたりむこうだけ私のことを知っている人がいたり先輩《せんぱい》がいたり後輩がいたり、立派な人がいたり変な人がいたり、そういう中に置かれるとどうしていいのかわからなくなる。始終笑顔《えがお》でペコペコあいさつしてた方がいいかと思ってそうしてみたりするが、何だか頭の悪い人みたいなカオになっているような気がしてだんだん笑顔がひきつってくる。疲《つか》れを感じて少し座《すわ》ろうと思い、ビールを片手に隅《すみ》の方で休んでいると、急に知らない人から名刺《めいし》を渡《わた》され、更《さら》にその知らない人の隣《となり》にいる人を紹介《しょうかい》されたりする。こんな時、人づきあいの上手《うま》い人というのはどういう態度をとるのだろう。私はそんな場合、「あ、どうも…」だけしか言えない。だって知らない人から知らない人を紹介されても会話することが思い浮《う》かばないではないか。

更に面倒《めんどう》な事に、私は〝何か面白《おもしろ》いことを言うかもしれない人〟と思われているところがある。ギャグ漫画《まんが》を描《か》いているせいか、初対面の人にも笑いを期待されているのである。

私は親しい間柄《あいだがら》の人達の中では愉快《ゆかい》な事を言うこともある。吉田ヒロのギャグ百連発のような事もする。家族友人大笑いという事もよくある。しかし、初対面とか慣れてない人の前でそんな事は決してしない。だから初対面の人から笑いを期待されても困るし、勝手に「さくらさんて案外面白くないなァ」とか「意外と普通の人だなァ」などと不満を抱《いだ》かれるのも心外《しんがい》なのだ。

そんなわけであれこれ気を遣《つか》って非常に疲れるため、パーティーは苦手なのである。パーティーに行けば、自分の尊敬している人や一度お会いしてみたい人などに会えるチャンスがたくさんあるのもわかっているが、そういうチャンスよりも私は呑気《のんき》を優先している。社交的な性格ではないのである。地味な面白い物好《ず》きという性格なのだ。

そんな私も昔はパーティーに憧《あこが》れていた。一度でいいからシンデレラが行ったようなお城のパーティーにドレスを着て自分も行ってみたいと思っていた。きっとすごくおいしい料理やケーキやアイスやジュースがいっぱいあるに違《ちが》いない。映画やＴＶでもパーティーの場面ではみんな楽しそうに笑っているので何かきっとすごく面白い事があるんだろうなァ…と、パーティーという言葉をきいただけでうっとりしていた。

だから私は友達の誕生パーティーに呼ばれて行くのが大好きだった。お城のパーティーとは全然違うが、少しおしゃれして友達の家に行く気分はときめいた。また、自分の誕生パーティーともなれば、うれしくてうれしくて一カ月も前からああしようこうしようと母につきまといパーティーの企画《きかく》をもちかけた。

待ちに待った自分の誕生パーティーの日、朝から母がみんなで食べる料理を作っている。量が多いので忙《いそが》しそうだ。私の希望でハンバーグとスパゲッティーが皿に盛りつけられている。その皿に姉がレタスをちぎって次々と置いている。ナベの中にはコーンスープが出来上がっている。冷蔵庫の中にはケーキが入っている。ジュースは店の冷蔵庫の中だ。もうすぐみんながやって来る。私はうれしくて二階に駆《か》け上がり、子供部屋《べや》の窓から外を眺《なが》めてみんなが来るのを待つ事にした。

毎日会っているクラスメイト達なのに、こんなに待ち遠しいなんて自分でもおかしくて笑ってしまう。約束の時間どおり、みんながむこうの角を曲がってこっちにやって来るのが見えた。私は「おーいおーい」と窓から手を振《ふ》った。みんな私の声にハッとして、いっせいにこちらを向いて笑顔で手を振り返している。なんて楽しい一日の始まりだろう。私は急いで階段を降り、店の外までみんなを迎《むか》えに出ていった。

部屋のテーブルには料理が並べられている。ジュースもコップも並んでいる。みんなも揃《そろ》い、私の九歳の誕生パーティーが始まった。みんな口々に「お誕生日おめでとう」と言い、プレゼントを渡してくれる。仲の良い友人達なので私の趣味《しゅみ》を知っており、ペットの飼い方の本とか色鉛筆《いろえんぴつ》とか鉢植《はちう》えの花とか、次々とうれしい物ばかり目の前に並んでいった。私は「ありがとう、ありがとう」とお礼を言い、みんなのプレゼントを大事に机の上にのせて飾《かざ》った。今日はパーティーが終わるまでこうしてプレゼントを飾っておくのだ。

気の合う友達同士、いつもより話がはずみキャーキャーと笑いながらごちそうを食べる。ごちそうと言ってもさっき母が作ったハンバーグとスパゲッティーなのだがすごくおいしい気がする。みんなも「おばさん料理上手《うま》いね」と言ってくれている。私はうれしくなり、下にいる母に「みんながお母さんの料理、上手いってさ」と知らせに行き、母が喜ぶ顔を見てまたすぐ二階に戻《もど》り「お母さんがみんなにほめられて喜んでたよ」と報告をする。それをきいてみんなは

みんなからもらったプレゼントを
机の上に飾った。
ぜんぶうれしい物ばっかり。
ありがとう。
地球のひみつ
36色

また盛り上がり、「おばさんはレストランをやれるよ」などと言うので私はそれをまた母に知らせに行く。落ちつかない私の姿をみんなが笑い、笑われた私自身もおかしくて笑う。ヒロシはむこうの部屋でTVをみて笑っている。笑いにあふれて午前中が過ぎてゆく。

天気が良いから外に出ようと誰《だれ》かが言い出し「そうしようそうしよう」と全員一致《いっち》で外へ遊びに行く事になる。私の誕生日の五月八日はよく晴れていて少し暑い日が多い。私が生まれた昭和四十年の五月八日も例にもれず晴天で少し暑かったそうだ。私はその日の真《ま》っ昼間《ぴるま》に生まれたらしい。母からその話をきいて私は自分の生まれた天気と時間が気に入った。カラッと晴れた真っ昼間とはなかなか気持ちがいいではないか。何の憂《うれ》いも思慮深《しりょぶか》さもないところがちょっとどうかとも思うのだが、それが無いのは昭和四十年五月八日昼間生まれの宿命だ。

みんなで外に出て昼の空を見上げながら、「私は九年前のちょうど今頃生まれたんだってさ。お昼だったんだって」と言った。みんな「へー、じゃあ今ほんとにおめでとうだね」と言って喜んでくれた。九年前の今頃は、お腹《なか》から出てきてヘトヘトだったのかなァと思うと不思議な気がする。九年前の空もこんな感じだったのかなァとか、お腹から出てきて初めて外を見た時はどんな気持ちだったのかなァとか、自分の事なのに思い出せないのが残念だ。

公園に着くとクラスの男子が何人かいた。私達がちょっとおしゃれしているのを見てからかいたそうにニヤニヤしている。ニヤニヤされるとなんだか恥《は》ずかしくなってくる。なんでせっかくおしゃれしている方が恥ずかしい思いをしなくてはならないんだろう。汚《きたな》い格好の男子の方が恥ずかしがるべきではないか。そう思うのだが圧倒的《あっとうてき》にこっちの方が恥ずかしい。追いうちをかけるようにして男子が近づいてきて「なんだ、おしゃれなんかしちゃってよォ」と言うのでよけい恥ずかしくなってきた。ホントになんでおしゃれなんかしちゃってるんだろう、と思う。私なんて、ワンピースにブローチまでつけているのだ。

普段《ふだん》男子と共にワーワー走り回って泥《どろ》だらけになっているのに、ブローチをつけているなんてどうかしている。

「うるさいねっ。今日はももちゃんの誕生日なんだよっ。おしゃれしてたっていいじゃんっ」と誰かが言った。そうだ、頼《たの》む、もっと言ってくれと私は思って黙《だま》っていた。このままじゃ恥ずかしい。でも自分じゃ言えない。

他《ほか》の友達も「誕生パーティーだからおしゃれしてるんだもん」と次々男子達にむかって言った。すると男子達は「へー、そうかァ。さくら、今日生まれたのか。おめでとう」等《など》と言い出したので驚《おどろ》いた。こんな男子達が素直《すなお》に「おめでとう」なんて言ってくれると思っていなかったからすごくうれしかった。私も男子達の誕生日には「おめでとう!!」と元気に言ってあげようと思った。そんなことぐらいで、こんなにうれしいと感じるなんて、人を喜ばせることってちょっとした事なんだなと思う。

私達は男子もみんなで一緒《いっしょ》に遊ぶことになった。おしゃれしていることも忘れていつも通り走り回り大騒《おおさわ》ぎしてはしゃいだ。お腹がすいたので男子も一緒に家に来てケーキを食べる事にした。家は午前中よりにぎやかな笑い声がひびいていた。男子がバカなことばっかりやるのでおかしくてたまらない。

夕方になり、みんなはイチゴとバナナとみかんの缶詰《かんづ》めをお土産《みやげ》にもらって帰っていった。私は二階の窓から手を振り、みんなが去って行くまで外を見ていた。振り返って部屋の中を見ると、机の上にみんなのくれたプレゼントが並んでいた。今日は楽しかったなぁと、楽しさの余韻《よいん》が続いている。

また明日みんなに会える。そしたら今日の楽しかった話でもちきりだろう。男子達も話に入ってくるかもしれない。そんなことを思うとまた楽しみになってくる。次の誕生パーティーは六月生まれのたまちゃんがやる番だ。一番の親友の私としては、そのこともとても楽しみだ。私はたまちゃんの趣味をよく知っているから、すごく喜ぶ物をプレゼントしようとまたあれこれ考え始めるのであった。

親の離婚話の思い出

父ヒロシと母は、かれこれもう三十五年位夫婦をしている。今さら離婚《りこん》するとは思えないが、途中《とちゅう》あやうい事が何度かあった。

小学校三年の秋頃《ごろ》、母が家を出て行くと言い出した時が一番やばかった。子供心にもこれはかなりまずいんじゃないかという感じがした。母も八百屋《やおや》に嫁《よめ》に来ていろいろ辛《つら》い事があったのだろう。祖父母の前でずいぶん肩身《かたみ》の狭《せま》い思いをしている現場をよく見かけたし、そんな時ヒロシがもう少し気を利《き》かせて母の味方になってやればいいものを、全然役に立っていなかったのも私と姉は見ていた。たぶんそんな事が積もり積もって今回母は家を出て行くと言っているのだろう。

母は情けないと言って泣きながら荷物をまとめていた。私と姉は部屋の隅《すみ》で黙《だま》ってそれを見ていた。ヒロシは気まずい顔で「おい、ちょっと待てよ…」等《など》と母に話しかけてはみるものの、それ以上はうまい言葉もみつからず母を止める事はできなかった。

母は私と姉に「まだ離婚するかどうか決めてないけど、とりあえず一週間ひとりで考えてから帰ってくるから。あんた達はいつも通り学校に行ってお母さんが帰ってくるまで家で待っていなさい」と言った。私が心配になり「お母さん、本当に戻《もど》ってくるよね、一週間経《た》ったら帰ってくるよね？」と言ってベソをかくと母は「ももことお姉ちゃんをおいていくわけないでしょ。もし離婚することになったら、ももことお姉ちゃんを連れて行くから大丈夫《だいじょうぶ》だよ。一週間だけ待ってて。絶対帰ってくるから」と言って私を抱《だ》きしめて泣いていた。姉は黙っていた。

その日、学校から帰ってくると母は予告通りいなくなっていた。店にはヒロシがいるだけだ。私は「ただいま」とだけ言い、二階の自分の部屋《へや》に行った。

机の上には母からの手紙が置いてあった。見ると「お姉ちゃんとももこへ　お母さんは一週間たったらぜったい帰ってくるので心配しないで下さい。時々電話をします。火のもとにはじゅうぶん注意して下さい。ももこは宿題をちゃんとやって、お姉ちゃんの言うことをきくようにね」と書かれていた。こんな離婚の危機の時まで私は宿題のことで母に心配をかけているなんて、最低だよなと痛烈《つうれつ》に感じた。

姉が家に帰ってきたので母の手紙を見せると「ほら、あんた、宿題のこと言われてるよ」とやはり宿題のくだりを指摘《してき》し、「お姉ちゃんの言うことをきくようにって言ってるから私の言うことをきかなきゃいけないんだよ」と少しえばって言った。〝おとうさんの言うことをきくように〟ではなく〝お姉ちゃんの言うことを〟と書かれているところが深刻さを感じさせる。もはやヒロシは姉よりも信用されていないのか。いよいよこれは本当に離婚することになるかもしれない。

私は姉に「もし離婚することになったらどっちに行く?」ときいた。姉は「私はお父さんのところにすると思う。転校したくないし経済的にもお父さんの方が困らないと思うから」という現実的な答えが返ってきた。私は母の方へ行くと言った。父はこの家にいるからここに来れば会えるが、母にはついて行かなければもう会えなくなってしまう気がしたからだ。経済面でもうちなんてたいしてもうかっている八百屋ではないから未練も頼《たよ》る気もない。それにどう考えたって、日常的な面ではヒロシより母の方が頼《たの》もしい。私達姉妹の意見も決裂《けつれつ》した。離婚となれば姉妹も離《はな》ればなれになるのだ。

心細い毎日が続いた。学校に行っても考える事は親の離婚の事ばかりだった。クラスメイト達の姿を見ていても〝…ああ、親が離婚をしたら私はお母さんの方についてゆくからたぶん静岡《しずおか》市へ引《ひ》っ越《こ》して転校するんだろうな。このクラスメイト達ともお別れか…〟と思うと悲しくなった。苗字《みょうじ》も母の旧姓《きゅうせい》の小林に変わるから、私は小林さんという呼び名になるのだ。「さくら」と男子から呼び捨てにされるのもあとわずかの日々かもしれないと思うと名残惜《なごりお》しい。みんな、私が転校すると言ったら悲しんでくれるだろうか。山本君が転校した時のように、お別れ会を開いてくれるだろうか。私は山本君のように人望も厚くなかったしクラスの役にも立っていなかったから、お別れ会はナシかもなァと思うと寂《さび》しくなった。

でも、考えてみれば転校というのは新しい出発だ。今までの私はお転婆《てんば》でおっちょこちょいでズッコケ者としてなんとなくいてもいなくてもどちらでもいいようなクラス内での位置付けだったが、転校すれば今までの私のことを誰《だれ》も知らないクラスメイトに囲まれて、おしとやかで思慮《しりょ》深そうな知的な女子として一からやり直すことが可能である。これはちょっといい話だ。今までのくだらない自分とはおさらばし、新しい人生をやり直せるチャンスなんてめったにあるものではない。

そう考え始めると、少し希望が湧《わ》いてきた。母と一緒《いっしょ》にアパートに引っ越す事になったら、姉もいない事だし私ひとりの部屋がもらえるだろう。まさか六《ろく》畳一間《じょうひとま》という事もあるまい。2DKぐらいのアパートで、ひと部屋は茶の間兼《けん》母の部屋、そしてもうひとつは私の部屋に決まっている。うまくゆけば、小さい室内犬を飼ってもらえるかもしれない。見知らぬ土地で友達もいない私をかわいそうに思った母が、せめて犬ぐらいはと思ってポメラニアンかチワワを買ってくれる可能性は高い。このまま八百屋でみんなで暮《く》らしているより、離婚が決まった方がよっぽど私の夢は叶《かな》うではないか。こうなると離婚も悪くない。むしろした方がいいんではないか、とすら思えてきた。くよくよしたって始まらない。どうせなら、状況《じょうきょう》に応じて楽しみなことを考えてすすめていった方がよい。

私は離婚に備えて少しずつ身辺整理《しんぺんせいり》を始める事にした。急に「今すぐ出ていくよっ」と言われてもあわてないように、大事な物はまとめて箱に入れておく方がよい。これを機会にいらない物は捨てよう。荷物は必要最小限にしなければば、狭《せま》いアパートが散らかって大変だ。キチンとしていなければ犬も飼ってもらえやしない。

まず宝箱を開けてみる。宝箱というからには宝物が入っているのだから、この中の物は全部大切な物ばかりだ。小さいビーズの人形や、親せきのおばあちゃんがよその国に行った時のお土産《みやげ》にくれたブローチや、小さい小さいおひなさま等が入っている。お祭りに行っておとうさんに買ってもらった犬のオモチャもあった。キューンと寂しさがこみあげてくる。来年は、おとうさんと一緒にお祭りに行けないかもしれない。

私はよその子になっちゃうんだ。おとうさんをおいておかあさんを選んでおかあさんの方について行くんだ。おとうさんのことも大好きなのに、本当は選べないのにそうしなければならないなんて、なんて悲しいんだろう。

そう思うと涙《なみだ》がどくどく出てきた。おとうさんとお姉ちゃんにさよならなんてとても言えない。言えるわけがないじゃないか。

涙ながらにまとめた荷物はダンボール箱二個分になった。全部ぬいぐるみやオモチャだったがこれらは私の生活には欠かせない物だ。こうしてまとめておけば、万一夜逃げ同然に急な家出をする事になってもあとから姉に頼んで郵送してもらえるだろう。悲しい事だが最悪の事態にも備《そな》えあれば憂《うれ》いなしである。

約束通り、母は一週間後に帰ってきた。母はどのような決心をしたのだろうか。私の気持ちとしては離婚してほしくはないが、まあ離婚する事になったらなったで仕方ないから楽しく暮らせるアパートでも探すのを手伝おうかと真剣に考えていた。別れても父や姉に会えなくなるわけじゃないし…という気楽さを常に失わぬよう努《つと》めてもいた。離婚というのは親の問題で、子供がじたばた騒《さわ》いでもどうしようもない事だという諦《あきら》めも感じていた。いくら子供が泣いても叫《さけ》んでも、親の関係がダメになったらしょうがない。こうなりゃどっちに転んでも、私は自分なりに楽しみをみつけながら生きていくぜという覚悟《かくご》がかなりできていた。悲しさや不安はあったものの、私も姉も冷静に親の成り行きを見守っていたように思う。

父と母はいろいろ話し合っていた。数日間、ああだこうだといろんな事を話し合い、途中「やっぱり離婚だ」という事になり、私も荷物をヒモでしばったりしたのだが、また何日か経過した後には「まだ離婚はもう少し先になりそうだ」という事になり、荷物のヒモをゆるめたりした。そんな日々の中、私は新聞の折り込みチラシのアパート物件なども見て、母に「このアパートが安いよ」と報告してやる事が度々《たびたび》あったが、だんだん離婚の気配は薄《うす》れ始め、次第《しだい》に離婚の危機は脱出《だっしゅつ》したものと確定される感が強まっていった。

秋に起こった離婚の危機も、年末には何事もなかったように静まり返り、大みそかの大そうじの時、私は自分のまとめた荷物を見て〝コレ、一体どうしよう…〟と思った。正月が来るというのに今さら開けて散らかすのも面倒臭《めんどうくさ》いが、このましまっておくのも一応宝物だけにちょっと辛い。

開けてみるとおとうさんの買ってくれたオモチャなどが顔を出し、やっぱり

店のみかんのダンボール箱に
離婚にそなえてまとめた荷物の中身。
おとうさんにかってもらった犬のおもちゃ
人形のきがえ
クマのクーちゃん
人形
おばあちゃんのかたみの犬の人形
オルゴール
ペットのかい方
ペットの本
パンダ
ゴリラ
静岡
みかん
静岡
みかん
ペンダント
チータ
こんなのばっかりで2箱分。

元どおりに片づけよう、と思いひとつひとつ机の中にしまったりした。

レコード大賞も、紅白歌合戦も、ゆく年くる年も、みんなで見れてうれしいなァと思った。ヒロシが酒に酔《よ》いながら、ソバを食べている姿も離婚の危機を乗り越えてこそのものだと思うと、ばからしくも有難《ありがた》かった。元日の朝はいつも通り朝風呂《あさぶろ》に入って親せきの家に行く。お年玉をもらったら、ヒロシとセキセイインコのヒナを買いに行くのだ。本当は仔犬《こいぬ》が欲《ほ》しいのだが、このさいインコでも充分《じゅうぶん》である。

腹痛の恐怖

例えば、チーズグラタンとコーンスープと、オレンジジュースとヨーグルトパフェを全部食べたとしよう。この場合、私は「大丈夫《だいじょうぶ》」と言える自信がない。かなり大丈夫ではない事態が予想される。ひょっとしたら非常に体調が良かったりして、大丈夫かもしれないが、確率的には大丈夫ではない方が断然高い。

やっかいな事に、それが「大丈夫」か「大丈夫ではない」か判明するのに三十分から一～二時間かかるのだ。すぐに判明すればうっかり出掛《でか》けてしまったりせず、元にもどるまでその場に待機していればいいのだが、少し時間がかかるために油断して外出してしまったりすると大変な事になる。

どうしてあんなに痛くなるのだろう。チーズグラタンとコーンスープとオレンジジュースとヨーグルトパフェが結集して力を合わせると、とんでもない事になるものだ。成人男子をも座《すわ》り込《こ》ませる実力を持つ。女子供など座り込んだうえに泣いてしまう者もいる。

また、腹痛は人を急に深刻にさせるという特徴《とくちょう》も持っている。それまで明るく笑ったりしていた人が、急に深刻な顔になり無口になったうえに「…ちょっとごめん」などと大変申し訳なさそうに謝《あやま》りながら席をはずしたりする。腹痛とは、急なものであり深刻なものなのだ。もし発生したら、その本人のみ火災や地震《じしん》が起こった時と同じくらい深刻になる。

私は小学生の頃《ころ》、〝学校のトイレでは絶対にウンコはしない〟という主義で生きていた。なぜそんな主義をかかげていたのかといえば、ウンコをした事がみんなにバレると恥《は》ずかしいから、という実に単純な理由だったのだが、これが肝心《かんじん》だったのだ。大人《おとな》になった今でも、自分がウンコをした事があからさまに他人にバレたら恥ずかしい気持ちになる。だからデパートなどのトイレでウンコをしようと思っても、人がいるとなかなかできないで悩《なや》んでしまう。このように、私は子供の頃から〝よそのトイレでウンコできない質《たち》〟だったため、学校で腹痛になった場合は大困難となった。

その日は、朝から「…ちょっとヤバイかもな…」という予感はあったのだ。朝食後、なんとなく胃のあたりが心もとない感じがし、「…ん?」と思っていた。だが、「…ん?」ぐらいのことで学校を休ませてもらえるわけがないし、別に痛いとか気持ち悪いとかそんなハッキリした異常ではなかったので、あまり気にせず学校へ行くことにした。

朝の会が無事おわり、一時間目がやってきた。五十分間の授業中、一回だけ「…あれ?」と思うような異常を感じる。地震で言えば予震というものだ。この程度の小規模《しょうきぼ》な予震だと、まだ本震の規模を正確に測定する事は不可能である。付近の住民(本人のみだが)も「あれ? 今揺《ゆ》れた? 気のせい?」という感じで平静を保っている。

二時間目、予震の回数が増え震度も次第《しだい》に大きくなってくる。五十分間に四〜五回、胃よりやや下気味の地点でそれは発生している模様である。伊豆大《いずおお》島《しま》近海付近の群発《ぐんぱつ》地震と似ている状況《じょうきょう》だ。…ひょっとしたら大地震が発生するかもしれない…と付近住民は不安の色が隠《かく》せなくなってくる。このまま群発地震がおさまってくれれば良いのだが、今のところは気象庁地震対策本部も何とも言えない状況である。今後の地震の動きを見守るしかない。

三時間目、緊急《きんきゅう》事態発生。大規模な地殻《ちかく》変動が下腹部で起こっている模様。付近住民は顔面蒼白《がんめんそうはく》となり、冷《ひ》や汗《あせ》を流し、無口になり、身を石のように固くしてこの事態に耐《た》えている。その表情はもちろん深刻そのものだ。

トイレに行きたいのだけれど「先生、腹痛なのでトイレに行かせて下さい」と言う勇気がなくてこうしてここで深刻になっている。トイレに行こうか…でも…でも…う、痛い…よし、行こう、ホラ手を挙げて……ああダメだ…手を挙げる勇気がない…こんなに痛いのに…あ——…今、私の大腸ってどうなってるんだろう。なんでこんなに痛いんだろう。あ、今少し楽になったよ。よし、その調子でこのまま何気《なにげ》なく治るといいな…あっダメだ…また痛くなってきた……あ――もうダメかも…死にそう死にそう……おや、またOKかもよ、うん……ダメだ…まただ…あ――痛い……

激しい浮《う》き沈《しず》みがくり返され、自分自身の内部との戦いは続く。本来なら腹の中身も自分なのだから私に味方してくれたってよさそうなものを全然味方になってくれる気配がない。となると腹は自分ではないのか？　じゃあ自分って一体どこまでが自分なのか。自分をこんなに苦しめる自分て果たして自分といえるのか？　隣《となり》の男子の腹と交換《こうかん》した方がよっぽど味方になってくれそうだ。正常に活動している人の腹がうらやましい。このさい頭のいい人の頭脳より美人の顔より交換してほしいのは正常な腹だ。たいした贅沢《ぜいたく》を言っているんじゃないんだから、神様一発どうにかしてよという極限《きょくげん》状況である。

もう〝学校でウンコをしない主義〟などというキレイ事を言っている場合ではない。このままではキレイ事どころか大変汚《きたな》い事をみんなの前でやってしまう事になりかねない。そんな事になったら一生の不覚だ。どんなに悔《く》やんだって悔やみきれない。次の休み時間こそトイレに行こう。トイレにさえ行けばこの莫大《ばくだい》な苦悩《くのう》の全《すべ》てから解放されるのだ。もし誰《だれ》かに〝あ、さくらさん、ウンコしたんだ〟って思われたっていいじゃないか。トイレはウンコとかそういう物をするためにあるのだから私はこれから正当な使い方をするのだ。オナラだってすればいい。それも正しい行いだ。ウンコの事でからかう人に言ってやれ。

「ああそうですよ、ウンコしましたとも。トイレでウンコして何が悪いっ？」

そのくらい威張《いば》って胸のひとつもポーンと叩《たた》けば相手だってからかいそこねて恥ずかしくなって「どうもすみませんでした」と頭のひとつも下げるだろう。

よし、その意気だ、私よ、行けっ‼

　自分をトイレに行かすという事だけで、自分自身をどれだけ鼓舞《こぶ》したことだろう。三時間目の授業の後半は鼓舞の嵐《あらし》だった。学校でウンコをするための勇気はそのくらい必要なのだ。そのくらいの勇気がなくてどうするっ、と某《ぼう》ヨットスクールならヨットから放り投げられてしまうであろうが。

休み時間、トイレは混雑していた。これは予想されていた事である。休み時間のトイレは混《こ》んでいるものなのだ。混んでいるからといってひるんではいけない。こうして順番を待っている間も痛みの波は押し寄せているのだから、するしかない。さっきあれだけ鼓舞したのだからそれを無駄《むだ》にしては三時間目の後半が浮かばれないというものだ。

友人が「あ、ももちゃん、待っててあげるから一緒《いっしょ》に音楽室へ行こう」とこんな私に声をかけてきた。有難迷惑《ありがためいわく》というのがこれだ。平常通り私の腹が活動している時なら待っていてくれるというあなたの気持ちは大変有難いのですが、今はそれが迷惑なんですよ、という表情になりながら「…ありがとう」と言ってしまう。〝迷惑〟まで言えないのが人づきあいの難しいところだ。

さあ自分の番が来た。勝負はこれからだ。外で友人が待っている。他《ほか》にも人がいる。休み時間は残り少ない。トイレを出たら音楽室へ移動しなければならない。非常に過酷《かこく》な条件のもと、私の勇気が試される時がやってきた。チャンスは今しかない!!

が、思わぬ展開となった。さっきまであれほどギリギリな感じだったのに、なんかちょっとギリギリではなくなっている様子である。痛みはあるのだ。しかしギリギリではない。緊張して少し中身が上昇《じょうしょう》した感じである。つまらない事になってしまった。いや、つまらないで出てくれりゃいいのにつまっていると言った方が正しいか。とにかく簡単には出そうにない。ちょっとやそっと腹に力を入れたぐらいじゃどうにもならない感じである。下《くだ》り腹《ばら》のはずなのに登ってしまうなんて、世の中一体どうなってるのかよくわからない。しかし、私はこういう事が時々あるのだ。腹痛で苦しくてもうダメという時でも、完全にリラックスできる場所でないと出なくなってしまう。腸というものはデリケートなのである。

せっかく勇気はあったのに、腸が弱気を起こしたためにこの計画は未遂《みすい》に終わった。三時間目後半の鼓舞も今となってはラクダのコブより全然役に立たない無駄コブだ。もう音楽室へ行くしかない。友人も約束通り外で待っている。私は収穫《しゅうかく》のない便器の水を流してトイレのドアを開けた。

せめて保健室で正露《せいろ》丸《がん》でももらいたかったが音楽室へ急ぐこの足を止めるヒマはなかった。音楽室に着くとすぐに始業ベルは鳴り、先生がやって来て授業が始まった。今日は笛の練習だ。ピーピーという音が腹に響《ひび》いて辛《つら》さが増す。寄せては返す痛みによる冷や汗で笛を持つ手もぬめり気がでている。痛い。できる事ならこのオルガンの上に崩《くず》れ落ち、笛を投げ捨てて床《ゆか》をかきむしりながら泣きたい。遠足の時は仮病《けびょう》のくせに先生に言う勇気があったのに、本番の今こそどうしてあの勇気がでないのか。今なら堂々と早退させてもらえるのに……と思ったのだが、すんなり早退させてもらえないかもしれないという考えもチラリと胸をかすめていた。〝お腹《なか》が痛い〟と先生に言った場合、先生はまず「じゃ、トイレに行ってきなさい」と言うのである。私はトイレに行っても

もう、フエなんて吹いてる場合じゃないという状態
ピーー…

治らないのだ。だからどうせまたそのまま戻《もど》ってくる事になる。戻ってきてから先生に「出ませんでした」と告げると今度は「じゃあ保健室に行きなさい」と言われるであろう。そして保健室で薬をもらい、しばらく様子をみる事になる。薬をもらってもまだ痛かった場合、「じゃあお医者さんに行きなさい」などと言われるかもしれない。そうなったら非常に面倒《めんどう》だ。この痛みは出せば治る事が自分でわかっているのに医者になんか行きたくない。しかし先生には「学校ではウンコが出ないんです」なんて事も言えない。だからうかつに先生には言えないのである。言ったとたんに「じゃ、帰りなさい」と言ってくれる事が確実にわかっていれば私は申し出ただろう。しかし、そうではない事が予想される場合、我慢《がまん》するしかないのであった。

この日は、不幸中の幸いにも土曜日だった。これが午後まである日だったら給食の時間にアウトだっただろう。私はいつも一緒に帰る友人達にそそくさと別れを告げ、学校から家までよろめきながら走った。走りたくないけれど走らなければまにあわない。家を目前にした横断歩道で待機している時には安堵《あんど》と休息で気がゆるみ、あわやという感じになりかかったがもちこたえ、店にとび込みカバンを放り捨ててトイレに直行した。

——安心がいかに大切か。いつもの場所というものがどれだけ人に平穏《へいおん》をもたらすか。こんなにもやすやすとあの悶絶《もんぜつ》から解放されるとは。家のトイレよ汝《なんじ》に幸あれ。

はまじとの噂

私は子供の頃《ころ》から恋《こい》にかかわることはかなり不器用なほうであった。大人《おとな》はなんでああやってみんな恋人同士になっているのか不思議に思っていた。

なぜなら、恋人同士になるからには、自分か相手のどちらかがまず「好きです」というような事を言わなくてはならないではないか。そんなこと、みんなどのツラ下げて言うのだろう。すっごく恥《は》ずかしくないのか。ドキドキしてカ――ッと頭に血がのぼって、「すっ、すっ、すすす、すです」などと〝好きです〟の「す」の字を多く言いすぎたうえ「き」の字をぬかして言ってしまったりしないものだろうか。それともそんな宣言をせずに、いきなり抱《だ》きついたりしてうまくゆく場合もあるのだろうか。抱きつかれたほうは、「わ――っ、なにすんのさっ」とびっくりして怒《おこ》ったりしないで「ああうれしい」とでも言うのだろうか。

　子供の頃はそのように色々考えてみたが、どう考えても自分にはできそうもないことばかりの気がした。もし自分だったら、まず好きですということが言えそうもない。同級生の好きな男の子にそんなことを言えるかどうか、何度自問自答しても絶対に言えない。言わなきゃ死刑《しけい》ですよと言われても、泣く泣く死刑になるかもなァと思った。

　しかし、大人はだいたいそのへんのことはうまくやっているようなので、自分も大人になりゃ、好きですよぐらい言えるのかもな、そんなもんだろとも思っていた。が、全くそんなもんではなかった。

　大人になったって、なかなか言えないもんである。余計なことばかりベラベラ喋《しゃべ》ってばかりで、肝心《かんじん》な「好きです」のこととなると、鵜飼《うかい》の鵜のように喉《のど》がギューーッと詰《つ》まり、好きのすの字もでてこない。〝す〟のかわりに喉の奥で「グェ」という愚《ぐ》にもつかぬ音が自分だけに聞こえたりして非常に虚《むな》しい気分になったりする。

自分が言えなかった場合でも、相手が言ってくれりゃそれで万事うまくゆく。相手の勇気に金一封《きんいっぷう》だ。そっちがそうくるのなら話は早い。こっちはかなり楽にレッツゴーというかんじで事は進むだろう。だが、相手もなかなか言わない奴《やつ》だった場合、これは持久戦にもつれこむ。お互《たが》い、なんかわかんないけどドギマギし、やたらとぎこちない行動をとったり、心臓の鼓動《こどう》をムダに早打ちさせ頭に血をのぼらせたりし、〝一体相手は自分のことをどう思っているのだろう〟などとお互いに悩《なや》んだりし、しまいには〝神様、どうでもいいからうまいことどうにかして下さい〟などと毎晩枕《まくら》に顔をうずめて頼《たの》み込《こ》んだりするのである。大人になってからわかったことだが、大人だって恋人同士になるまでは非常に苦労しているのだ。だから『ありがとう』という番組は国民みんなが水《すい》前寺清子《ぜんじきよこ》と石坂浩二《いしざかこうじ》の恋にやきもきしたり応援したりして高視聴率を得ていたのだ。苦労しないでそうなる人達もいるのだろうが、どういう了見《りょうけん》でそんなに

何が何だかさっぱりわかんない時のカオの図
は？

苦労しないで済んだのか苦労派の私にはわからない。ちょいと教えてほしいものだ。

大人になってもまだ恋にかかわることが不器用だということの私が、子供の頃にクラスメイトの男子と噂《うわさ》になった事がある。

相手は「はまじ」だった。正直言って、私は「はまじ」のことを好きだと思ったことは一度もなかった。別に特に嫌《きら》いだとも思っていなかったが、なんっとも思っていなかったのである。それなのにある日なぜか突然《とつぜん》、そのなんっとも思っていなかった「はまじ」と自分がアッアッだなどという噂がクラス中に広がっていたらどうか。

誰《だれ》だって「は？」と首をかしげたくもなるであろう。私だってそうなった。何が何だかさっぱりわからない事が起きた時の表情だ。つまり、眉《まゆ》は互い違《ちが》いに上下に位置し、口は半開きという顔になったわけだ（151ページ図参照）。

そんな状態になって突っ立っている私のまわりで、バカな男子どもが「よぅよぅ、さくら、将来はまじと結婚《けっこん》しろよー」とか何とかはやしたてている。

「は？　結婚？　私がはまじと？　なんで？」という思いが駆《か》け巡《めぐ》りながら、状況《じょうきょう》がよくわからない私はまだ先程の表情のまま立っているしかなかった。

　私は状況を把握《はあく》するために、騒《さわ》ぎ立てている男子のひとりをとっ捕《つか》まえ、

「ちょっとあんた、なんで私とはまじが噂になってるのか教えてくんない？」

と尋《たず》ねてみた。

　すると彼は「はまじもさァ、おまえもさァ、おもしれーこと言ってみんなを笑わせるだろ。だからおもしれー者同士《モンどうし》、結婚すりゃ面白《おもしろ》いじゃん」と言うではないか。私は血の気が引いた。なんとしょうもない理由にて、私とはまじは噂になっているのであろうか。〝面白い者《モン》同士で結婚すりゃ面白い〟なんて、ただでさえ面白がらせてやっているのにこれ以上まだクラスの連中は私とはまじに面白さを要求するつもりなのか。冗談《じょうだん》ではない。だんだん怒《いか》りがこみ上げてきた。

そもそも、私とはまじを〝面白い者同士《モン》〟などと簡単にひとまとめにすることと自体大間違《おおまちが》いである。はまじは、はまじという存在自体がみんなから面白がられているのである。早い話が〝笑い者〟というジャンルに属す人だ。

しかし、私は違う。私は話すことなどがおかしくてみんなを笑わせているのだ。ジャンルとしては〝面白がらせ屋〟というところに属すはずだ。誰が何と言おうと自分ではそう思っていた。〝笑い者〟と〝面白がらせ屋〟とは知的レベルが違うのである。どちらが上だとはあえて言わないが、とにかく一緒《いっしょ》にされてはたまらない。なんでクラスの連中はその辺の違いがわからないのだろう。これではカトちゃんと高木ブーの違いがわからないのと同じではないか。みんな、どういうつもりで毎週ドリフをみているのか。

考えれば考えるほど、カンカンに頭にきた。しかし、このような時、必死で否定すればするほどみんな面白がって冷やかすのである。子供とはそういうものなのだ。特に男子とはそういうものなのだ。だから私はこの件に関して、ひたすら黙《だま》っていることにした。冷やかされても「フンッ」と無視し続ければそのうち噂もやむであろう。

そう思ってはいたものの、やはり目の前で冷やかされると相当頭にくる。無視しても、わざわざますます近づいてきて「よぅよぅ、おまえはまじと結婚しろよ」などとニヤニヤ言う男子がいるのである。そこまで挑発《ちょうはつ》されれば、いくらフツーの女子の代表の私といえども頭の血管が二～三本キレるというものだ。「うるさいっ」と言って男子数人をブッ叩《たた》き、それでもまだこりない奴にはまわし蹴《げ》りをしてやった。なんで私がこんなに大暴れをしなきゃなんないんだ、と思いながら私はバカな男子達と戦い続けるハメになった。きのうまで、自分がこんな目にあうなんて全く予想もしていなかった。昔の人の言う通り、事実は小説より奇《き》なりという展開がこれだ。

そんな時、「ばかやろう、さくらのことなんて好きじゃねえぞーっ」というはまじの叫《さけ》び声がきこえてきた。

それはこっちのセリフである。あんたの方からそんなこと言うなんて、ちょっと図々《ずうずう》しいんじゃないの、と言いたくなるではないか。オレはさくらのことを好きだからうれしいぞなどと言われたらもっと困るのだが、ああもハッキリはまじなんかに「好きじゃないぞ」と言われるのもくやしいったらありゃしない。せめて私がはまじに対して思っているのと同様に「さくらのことなんて、なんっっとも思ってないぞ」と言うべきではないか。

そう思ってみたものの、今からはまじに言い直して欲《ほ》しいなどと呑気《のんき》な事を言っている場合でもない。はまじがこっちのことをそう言ったのならこっちだって同じセリフを返すしかない。私ははまじをジロリと睨《にら》み、「ばーか。私だってあんたのことなんて好きじゃないもんねーっ」と言った。私の方が、「ばーか」と加えたので少しパワーアップしているがだいたいおあいこである。

私とはまじのやりとりをきいていた男子達は、「よぅよぅ、夫婦げんかしてるんじゃねーよォ」などと言って更《さら》にはやしたてていた。

　さっきまで〝結婚しろよ〟と言われていたのに、いつのまに私とはまじは夫婦になったのか。しかもお互いに好きじゃないと言っているのだから百歩譲《ゆず》って夫婦だったとしてももう離婚《りこん》は決定だ。たのむからこれ以上私とはまじを冷やかすのはやめてほしい。〝笑い者〟と〝面白がらせ屋〟を苦しめたりしたら、クラスから笑いの炎《ほのお》が消えてしまうかもしれない。それでもいいのか。私ならクラスから私とはまじの笑いが無くなってしまうのは残念だと思うので冷やかすのを即座《そくざ》にやめるのだが、あいにくバカな男子共《ども》は私ではない為《ため》に冷やかすのをやめなかった。私は泣きたい気持ちでいっぱいだったが、こんなことで泣いてたまるかと思いぐっとこらえた。涙《なみだ》はもっと他《ほか》の時に流すものである。はまじとの噂ぐらいの事で流していたら体内の塩分と水分が無駄《むだ》になる。

　いつまでこんな噂が続くのだろう…と憂鬱《ゆううつ》だったが、わずか二〜三日で誰も私とはまじのことは言わなくなった。みんな私とはまじのことなんて、それ以上興味なかったのであろう。何はともあれ私とはまじに平和な日々が戻《もど》ってきたのである。

その後も何回か私はろくでもない男子と噂になったことがあるが、その都度《つど》命がけで否定し、憂鬱な日々をのり越えてきた。すてきな男の子とは一度も噂になったためしがないというのが私の小学生時代の大きな特徴《とくちょう》だ。

中学の時、初めてまともな男子と少々噂になったことがあるが、その時もいつもの癖《くせ》で必要以上に強く否定してしまい、中学生時代に男女交際を体験するチャンスを逃《のが》した。まあ、すてきな男子とまではいかず、まともな男子というレベルだったのでそれほど深い後悔《こうかい》につながらなかった事がせめてもの救いだったといえよう。

教会へ通う

私は小学校の一年生から四年生ぐらいまでの間、毎週日曜日の朝近所の教会へ通っていた。別にうちの家族がクリスチャンだったわけではないが、近所の人が神父さんだったため、その人にすすめられて行くことになったのだ。

父ヒロシも母も、私と姉が教会へ通うことに対して何も思っていなかった。

「まァ、少しは勉強になることもあるだろう」というかんじであった。私も姉も、特に行きたいと思っていたわけではないが、教会に行けばお菓子《かし》や絵のついたカードがもらえるというので一応行ってみることにした。

行ってはみたものの、知らない子達ばっかりで私は気おくれを感じた。賛美《さんび》歌《か》もぜんぜんわからず、聖書の話もよくわからなかった。一体いつお菓子がもらえるのかなァと思っていたら、帰る間際《まぎわ》におせんべいを二〜三枚もらえただけだった。

なんか別に面白《おもしろ》くないなァと思いつつ、通い始めたのだから行けという母の命令によりなんとなく通い続けていた。聖書も買ったが、最初のページの一行目からわけがわからなかった。ヨハネとかモーゼとか、そういういろんな人達の話をきいても全く覚えられなかった。それなのになんとなく通い続けていた。

ある年の夏休み、教会でキャンプに行くことになり、一同揃《そろ》って県内のどこかのキャンプ場に出掛けた。私はよそへ泊《と》まるのがあまり好きでなかったため、それほど楽しみにはしていなかったが、教会の人達や親のすすめでなんとなくついて行った。

キャンプ場では川に入って遊んだり、ハイキングをしたりと、意外にも楽しかった。神様やイエス様を信じていれば、たまにはいい事もあるのだろう。

しかし、私はその夜食べたスイカにより腹痛を起こし、トイレに入ったきり出てこれなくなった。神も仏もあったもんじゃないという心境であった。まじめな気持ちで教会に通っていなかったので、バチが当たったのだ。

腹痛により私はひどく暗い気分になり、一刻も早く家に帰りたくなった。父や母の所に帰りたい。いつもの生活に戻《もど》りたい。たった三日間のキャンプなのにホームシックにかかったのである。

いったん家に帰りたいと思い始めると、もう何をやっても面白くなかった。スイカ割りをしても〝…スイカを食べたらまたお腹《なか》が痛くなるかも…〟と思い、川に入っても〝…お腹が冷えるとまたお腹が…〟と思い、滝《たき》つぼの天然水を飲もうと誘《さそ》われても〝…そんな水を飲んだらまた…〟と常に腹痛の恐怖《きょうふ》にもおびえ続けていた。あまり親しくない人達とお風呂《ふろ》に入るのもイヤだったし、毎日必ず聖書の話や賛美歌をうたわなければならないのも面倒《めんどう》だった。

キャンプ最後の夜、キャンプファイアーを囲みながらみんなで何か歌ったり花火をしたりしたのだが、私は家が恋《こい》しくて恋しくて、キャンプファイアーの炎《ほのお》を見ながら少し泣いていた。心の中では「早く家に帰れますように…」と祈《いの》

キャンプファイアーを
見ながらひとり寂しく
泣くわたし
帰りたいよう…

るばかりであった。そのかいあって、翌日無事に家に帰れたのも神のおかげといえよう。

特に何とも思わないまま、それでも私と姉は教会に通っていた。日曜日の午前中など、どうせ何もすることがないから行き続けていたのであった。

ある年のクリスマス会で小学生は劇をやる事になり、それぞれ配役が決められた。私は「あの星を見よ」と言うだけの旅人の役だったが、本番ではたったそれだけのセリフを言うのをうっかり忘れてしまい、私の隣《となり》の男子があわてて私の尻《しり》を叩《たた》き「おまえだよおまえ」と合図してくれたために救われた。やはり神に守られていたために私は大恥《おおはじ》をかかずに済んだのだ。

またある年のクリスマス会では、私は劇の練習に一回も出なかったためにセリフのある役から急きょセリフのないマリア様の役に大抜擢《だいばってき》されることになった。いくらセリフがないとはいえ、マリア様の役なんて私なんかが演じたら神が怒《おこ》るんじゃないかと心配になりシスターに「私は練習に出なかったので劇に出なくてもいいです」と言ったのだが、みんなが「いいからいいから。せっかくだからマリア様をやりなよ」と言うのでお言葉に甘《あま》えてやらせてもらうことにした。教会の人々というのは、こんな怠《なま》け者の私のことでも見捨てずに温かい手をさしのべてくれるのだ。こういうことこそ見習うべきであろうが、私は怠け者に対して温かい手をさしのべるどころか自分が怠け者だったので、温かい手をさしのべられっぱなしで生き続けていた。

私の出番は第二幕目だった。第一幕目のマリア様にはたくさんのセリフがあり、私と同じ学年のしっかり者の女の子が演じていた。本来なら、第二幕目のマリア様も彼女《かのじょ》が出る事になっていたのだ。それなのに私はさんざん怠けた挙げ句、一番ラクでイイ場面を彼女から奪《うば》うのである。ああ、あのしっかり者の女の子に申し訳ないなァ…と舞台《ぶたい》の袖《そで》で見ていた私は感じていた。

やがて第二幕目になり、私はしっかり者の女の子から衣装《いしょう》を借り、あわてながらそそくさと舞台の中央に進んでいった。舞台の中央に座《すわ》ったとたん、スポットライトに照らされ、客席全員が私に注目していた。待ったなしという感じである。

私は顔がひきつった。みんなそんなに私を見ないで欲《ほ》しい。私は怠け者なのだ。そんなに見てもらうほど価値のある女ではない。たまたまなりゆきで今ここにこうして座っているだけで、本当はこんな所に出れるような者ではないんですよ、と心の中で叫《さけ》んでいた。

仕方ないので私はただニヤニヤしていた。他《ほか》にどうすればいいのか思いつかなかった。ニヤニヤしながら、居たたまれない思いでいっぱいであった。ああ神様、どうか早くこの出番を終わらせて下さい…と私は神に祈った。

そのかいあって、まもなく私の出番は終わった。私は無事に出番を終わらせてくれたことを神に感謝した。ホッとして、舞台の袖に戻った時、上級生の男子が「おまえ、その服うしろ前に着てるぞ」と言ったのでギョッとした。確認《かくにん》してみたところ、彼の言う通り私は衣装をうしろ前に着ていたのであった。

大変なショックを受けたし大変に動揺《どうよう》した。なんて恥《は》ずかしいのだろうと辺り一面駆《か》け巡《めぐ》りたかった。ああ神様、どうかこの恥を帳消しにして下さい、と祈ってみたがこの件に関しては全く助けてもらえなかった。かいた恥は取り消せないという事である。

その後もしばらく教会に通っていたが、だんだん朝寝坊《あさねぼう》になってきて、日曜日の午前中はゴロゴロしていたいという非常に安易な理由から教会に行かなくなってしまった。教会へ行くのをやめたくせに、困った時だけ神に祈るという自分勝手な習慣だけ身につけたまま現在に至る。

友達に英会話を習う

英会話がまったくできないために、私は海外旅行をするたびに非常にみじめな思いをしている。どこに行っても異国にいる間ずっと無口な東洋人として過ごし、買い物をする時にも伏《ふ》し目がちに黙《だま》ってショーケースの中の品物を指さしたりし、周りにいる全《すべ》ての英語を話す人達が偉人《いじん》に思え、自分はなんて馬鹿《ばか》なんだろう…と寂《さび》しくなったりしている。中学・高校・短大と、合計で八年間も学校で英語を教えてもらっていたのにもかかわらず、それがひとつも身についていないなんて、私は一体八年間何をやっていたのだろう。…そう思って学生の頃《ころ》を振《ふ》り返ってみると、私は英語の授業中は必ず漫画《まんが》の絵を描《か》いていたように思う。これは英語に限らず、他《ほか》の教科の全てにあてはまる事だが、そのおかげで今こうして漫画を描く職業になれたのかと思うと、英会話くらいできなくたっていいじゃないかとも思うのだが、せめて英語だけでも真面目《まじめ》にやっておくべきだったのかも、とも思う。

あまりに英会話ができないことを情けなく思った私は、三年前から週に一～二回、自宅にて英語の先生に来てもらい教えてもらっている。英語の先生は若くてやさしいハーフの女性で、〃マキちゃん〃と呼んで我《わ》が家では親しんでいる。私はマキちゃんがすごく好きで、彼女《かのじょ》がうちに来てくれる日はうれしくて息子《むすこ》と共に待ちかまえている。先日、マキちゃんは結婚式《けっこんしき》を挙げ、きれいなお嫁《よめ》さんになった。マキちゃんのお嫁さんの姿を見て、私は感動して胸が熱くなり何度か目頭《めがしら》を押《お》さえたものである。こんなにもマキちゃんのことを好きなのに、それでも私は英会話が全然上達しないので、心の底からマキちゃんに申し訳なく思っている。このままではいつかマキちゃんが呆《あき》れてうちに来なくなってしまうんじゃないかと心配だ。

実は、マキちゃん以前にも私は中学校の頃、英会話ができるようになりたいと欲《ほっ》し友人から教えてもらっていた事がある。

その友人は加藤さんという、お金持ちのクラスメイトなのだが、前にエッセイにも書いた〝水谷豊《みずたにゆたか》が遊びに来た家の子供〟といえば思い出していただける読者の方々もいらっしゃるであろう。

その加藤さんは、英会話を習っていたのだ。二十年前の清水《しみず》市で、英会話を習っているなんていう子供は極《きわ》めてハイカラであった。さすがにお金持ちのお嬢《じょう》さんだなァ、と感心することしきりである。ある年の夏、加藤さんはハワイへホームステイをしに行った。英会話を習っているからこそ、彼女はハワイに行っても大丈夫《だいじょうぶ》だったのだ。加藤さんは子供なのに偉《えら》いなァ、とこの時もしきりに感心したものだ。

そしてその翌年《よくとし》、今度はハワイから加藤さんの家にホームステイをしに同い年の女の子がやってきた。ハワイからやってきたクリスティーヌという名前のその女の子は、金髪《きんぱつ》の巻き毛で澄《す》んだ青い目がパッチリと大きくとても美しか

How do you do?
はァ?、はう?。
カーッ
サッ
クリスティーヌ

った。しなやかに伸びた手足も日本人のそれとは全く長さが違《ちが》い、こんな人が私の家から少ししか離《はな》れていない加藤さんの家にしばらく居るなんて、距離《きょり》は近いが非常に遠い出来事だと感じていた。クリスティーヌは私に向かって「ハウドゥーユードゥ」とあいさつをしてくれたが、私は何歩か後ずさりをし、ひきつった表情のまま黙りこくっていた。どうにか握手《あくしゅ》だけをし、手を放した後、もしかしたらハワイの匂《にお》いがするんじゃないかと思って急いで自分の手の匂いをかいでみたが自分の汗《あせ》の匂いしかしなかった。

こんなクリスティーヌと親しげに英語で話をしている加藤さんを見て、私はまたもや感心していた。なんか〝世界はみんな友達さ〟というかんじである。だが、それも英語ができるからこそ言える言葉であり、英語ができなかったら世界は全然友達ではない。現に、加藤さんとクリスティーヌは友達でも、私とクリスティーヌは全然友達ではないことがそれの証《あかし》である。英語さえできれば、私もこの美しいクリスティーヌと友達になれるのだ。

私は加藤さんに英会話を教えてもらおうと決意した。加藤さんに教えてもらうのなら、気心も知れているし月謝等《げっしゃなど》も無料でOKだろう。我ながらうまいことを思いついたものだ。

早速《さっそく》この思いつきを加藤さんに話したところ、彼女は「うんいいよ。じゃあさ、学校の休み時間と帰り道にレッスンすることにしよう」と快《こころよ》く引き受けてくれた。本当は加藤さんの家か私の家でレッスンをしたかったのだが、無料なので文句は言えまい。

その日からレッスンは始まった。加藤さんは非常に簡単な言葉を選んで言ってくれていたが、私は「は？」ときかえすばかりで全く会話は成り立たなかった。たとえば、WHAT'S YOUR NAME? ときかれたとしよう。加藤さんは「ワッチュア　ネーム？」と言うのである。そんなふうに急に言われたってわからないのだ。「ホワッツ　ユアー　ネーム？」と言ってもらわなければ全然わからない。「ワッチュア」のところがついてゆけない点である。

「ワッチュア」に類似《るいじ》したついてゆけない点は次々と続出した。「は?」としか言えない私のマヌケ面《づら》に、加藤さんもだいぶ呆れてきたようだ。

加藤さんは私に洋楽をきくようにすすめた。彼女はビートルズが大好きで、ジョン・レノンが死んだ時もクラスで唯一《ゆいいつ》泣いていた。ポール・マッカートニーが大麻《たいま》で捕《つか》まった時もクラスで唯一動揺《どうよう》していた。私はといえば、ジョン・レノンが死んだ時に初めてビートルズのメンバーにジョン・レノンという人がいた事を知り、ポール・マッカートニーが捕まった時にも初めてそういう人がいる事を知った。リンゴ・スターとジョージ・ハリスンの事を知ったのは、それからずっとずっと後の事だ。私がビートルズとずうとるびの区別がやっとついたかどうかという頃、加藤さんはすでにジョン・レノンを崇拝《すうはい》していたのかと思うと、いくら彼女が医者の娘のお金持ちで私が八百屋《やおや》の次女だからといってもこの差は大きすぎる。

私は加藤さんに「じゃあ洋楽をきくから、ビートルズのレコードを貸して」

と頼《たの》んでみたが彼女は「だめ。ビートルズは貸してあげられない」とキッパリ断った。仕方ないので私は母と一緒《いっしょ》にレコード屋に行き、何でもいいから一枚洋楽のレコードを買うことにした。加藤さんのマネをしてビートルズを買うよりも、もっと違う人にしようと思いいろいろ見たが全然知らないミュージシャンばっかりだったので、どうしたらよいのかわからなかった。結局、母が「オリビア・ニュートンジョンにすれば？　この人有名だからさ」と言うのでそれにすることにした。オリビア・ニュートンジョンの名前くらいは私もきいたことがあるようにも思えたが、もしかしたらそれはオリビア・ハッセーのことだったのかもしれない。私はオリビア・ニュートンジョンのジャケットを見ながら少し布《ふ》施明《せあきら》の顔が思い浮《う》かんでいた。それが生まれて初めての洋楽レコード購入《こうにゅう》の思い出となった。

家に帰って一〜二回レコードをきき、しばし洋楽を聴《き》いているという自分に感心しながら酔《よ》い痴《し》れた。頭が良くなった気さえした。翌日、自慢《じまん》するためにレコードを学校に持ってゆくと、友人が「それ貸して」と言うので気前良く貸してあげた。それっきりオリビア・ニュートンジョンのレコードは返ってこなかった。加藤さんが他人にビートルズを貸さない理由がやっとわかった。

ある日、加藤さんがハワイのクリスティーヌに手紙を書いたというので見せてもらった。全然わからなかったので、即《そく》「何て書いてあるの?」と尋《たず》ねると、彼女は「イエローマジックオーケストラの事だよ」と答えた。私は「はは――っ」と感心の深いため息を吐《つ》き、「加藤さんは本当に外国のミュージシャンをよく知っているんだね」と言ったところ、加藤さんはイエロー・マジック・オーケストラとは日本のミュージシャンバンドで、それを略してYMOというのだと教えてくれた。私は一瞬《いっしゅん》そのYMOという人達は手品をしながら演奏する団体かと思ったのだが黙っていた。

それからまもなく、YMOは一大テクノブームを巻き起こし、彼らが特に手品をしないで演奏をする三人組の男性であることを私は欽《きん》ちゃんの番組で初めて知った。

ノストラダムスの大予言

東海沖地震《とうかいおきじしん》が来るぞという噂《うわさ》が流れたのと同じ頃《ころ》、ノストラダムスの大予言が日本中の話題になった。

私はもう絶望だと思い、将来の事を考えただけで頭痛と吐《は》き気がするほど悩《なや》んだ。大人《おとな》になる前に東海沖地震が来たら死ぬかもしれない。もし生き延びたとしても今度は遠州灘《えんしゅうなだ》沖地震で死ぬかもしれない。それでもまだ生きていられたとしても、一九九九年の七月には、人類が滅亡《めつぼう》するというのだからその時こそ確実に死ぬであろう。一九九九年といえば、私は三十四歳《さい》になっている。私の寿命《じゅみょう》は三十四歳で終わるのか。

もしもノストラダムスという人の予言が当たれば、一九九九年の七月に、空から恐怖《きょうふ》の大王が降りてきて人類は滅亡するのだ。恐怖の大王って、一体どんな大王なんだろう。ただの大王じゃなく、恐怖の大王というところが気になる。わざわざ恐怖のとつけ加えているぐらいだから、よっぽど恐怖に違《ちが》いない。

私は恐怖の大王がどんな人なのか色々考えていた。ものすごく恐《こわ》そうな顔の、黒いマントを着た、冷酷無比《れいこくむひ》な男、そんなかんじの大王が私の頭に浮《う》かんでいた。この大王が地球の人類を滅亡させるわけだ。私は自分で想像した大王の姿に恐《おそ》れおののき、こんな大王に人類が滅亡させられてはいかん、どうにかして彼《かれ》が来るのを阻止《そし》しなくては……と真剣《しんけん》に思っていた。

そうだっ!! 恐怖の大王が地球に降りて来る前に、地球防衛軍が戦車やミサイルで彼を撃ち殺したらいいんじゃないか。いくら恐い顔をしてたって所詮《しょせん》黒マントの男くらい、地球人の本気の攻撃《こうげき》にあえばひとたまりもないだろう。この事件をきっかけに、地球人は一致団結《いっちだんけつ》して力をあわせ、この世から戦争もなくなりむしろ平和な世界がやってくるかもしれない…。

そうなればいいな。そうはならないもんだろうか…。そう思い、父ヒロシに

「ねぇおとうさん、一九九九年の七月にね、地球に恐怖の大王が来るっていうけど、その大王を地球のみんなでやっつけるってことはできないのかなァ」ときいてみた。するとヒロシは「さぁ、わかんねぇな」と全く何も考えていない様子で言った。私は「なんでわかんないのっ。だって、大王なんていくらえばってたって、やっつけられるでしょ」と言うと、ヒロシは「わかんねぇんだよ。どんな大王が来るのかってことがみんなわかんねぇんだから、やっつけられるかどうかわかんねぇんだってば」と言うではないか。私は「どんな大王が来るのかわかんないって、だって大王っていえばなんか恐いカオして黒いマント着てたりする人でしょ。だいたいそんなかんじの人でしょ。それならいくら恐い人でもどうにかなるじゃん」と叫《さけ》んだ。たのむから「うん、どうにかなるぞ」と言ってほしかったのだ。

しかしヒロシは「大王っていってもな、別にマント着てる人じゃねぇらしいぞ」と言った。私は「えっ、じゃあ何?」ときくと、「あのなァ、もしかした

恐怖の大王のイメージ
ワハハ
ハハハ
大王

ら核爆弾《かくばくだん》のことかもしれねえし、何かでかい天変地異《てんぺんちい》かもしれねぇし、隕石《いんせき》が降《お》っこちてくるのかもしれねぇし、わかんねぇんだってさ」とヒロシは言った。私はガ――ンとショックを受けた。恐怖の大王がただの恐い男だったらどうにかなるかもしれなかったのに、天変地異とか核爆弾だったらやっつけられる相手ではない。私はヒロシに「一体、どうなるの!?」ときいたがヒロシは「だからどうなるのかみんなわかんねぇから恐がってるんじゃねぇか」と言った。誰《だれ》もわからないなんて、あんまりである。なんでもっとわかりやすくノストラダムスは言ってくれないのか。こんなにわからない大王の事で人類を振《ふ》り回すのはやめてほしい。予言をするのなら、何年何月何日何時、これこれこういう事が起きるけれどこうすれば大丈夫《だいじょうぶ》だ、という対処法まで言ってほしい。それが予言者に対して最も望むところであり、そこまで言えないのなら余計な事は言わないでほしい。

私はノストラダムスがハッキリ言ってくれないことに腹を立てながらも一九

九九年の七月のことを気に病《や》んでいた。小心者の母も予言を恐《おそろ》しがり「一九九九年なんて、あたしゃもう六十五歳ぐらいになってるから死んでも悔《く》いはないけれど、お姉ちゃんやももこはまだ若いからかわいそうだよ」と私や姉のことを嘆《なげ》いていた。一九九九年に六十五歳の母がうらやましかった。六十五歳ならあきらめもつくかもしれない。しかし、母もかわいそうだと言っているとおり、私は三十四歳なのだ。

一体三十四歳になった私はどうしているのだろう。結婚《けっこん》して子供を育てているかもしれない。もしかしたら独身で、仕事一筋に生きているかもしれない。全くどうしているのか想像つかないが、とにかく人生バリバリ全開の時期だ。そんな三十四歳の七月に、正体不明の大王により死ななきゃならないなんて、ああもう考えただけでわんわん泣けてくる。

学校でもノストラダムスの大予言のことは大きな話題となっていた。「人類滅亡って、一体どうなるんだろう…」と誰もが想像もつかぬ大きな恐怖におびえていた。「ノストラダムス」ときいただけで恐がる子供もいた。

クラス内の男子数人が、「こっくりさんにノストラダムスの大予言が本当かどうかきいてみよう」と言いだし、こっくりさんをやることになった。私は内心「ノストラダムスのことがこっくりさんなんかにわかるかよ」という気持ちだったが、ひょっとしてわかるものなら教えてほしいと思い見物することにした。

こっくりさんが実施《じっし》される机の周りは物好きな生徒でいっぱいになった。机の上には下手《へた》な字の文字盤《もじばん》がおかれ十円玉の上に数人の男子の指がそえられていた。いよいよこっくりさんを呼び出すためにひとりの男子が「こっくりさんこっくりさん、ノストラダムスの予言は本当ですか。でてきて教えて下さい」と叫ぶと、机の周りは一気に緊張《きんちょう》が高まった。果たしてこっくりさんはでてきてくれるのであろうか。

全員が文字盤の上の十円玉のゆくえに注目していた。一同静まり返る中、十円玉はビクとも動かないまま時間は経過していった。

やはり、こっくりさんにもわからなかったようだ。だいたい、ノストラダムスなんてどこの国の人だか知らないが外国人なのだから、日本のこっくりさんからすれば言葉もよくわからないのかもしれない。「いやァ、まいったなァ」というのがこっくりさんの正直な感想であろう。

TVでもノストラダムスの大予言は特番が組まれたりして話題であった。怪《あや》し気《げ》な占《うらな》い師《し》が次々と出てきて「一九九九年七月、人類は滅亡するでしょう」などと絶叫《ぜっきょう》するので私はますます恐しくなった。山本リンダが歌う占いの歌もオカルトムードいっぱいで、いつものリンダと違っていた。世の中がどんどん終末に近づいている気配であった。

どうせ三十四歳で死んでしまうのなら、立派な人になるためにがんばろうなどと努力しても無駄《むだ》なのではないか。それなら三十四歳になって死ぬまで二十余年を遊び暮《く》らした方が有意義ではないか、そんなふうにも考えた。しかし、もし予言が当たらなかったら、三十四歳まで何も考えずに遊んでいた者など世間の笑い者である。遊んでいた理由が「ノストラダムスの大予言を信じていたので…」などというのもお粗末《そまつ》すぎる。やはり少しは将来のことを考えながら、地道に好きなことをして生きてゆくのがベストであろう。なんやかんや言っても、三十四歳になるまでにまだ二十数年あるのだから、少しはいい事もあるだろうし、予言のことは一九九九年になったらまた考えればいいや。

……そう思って予言のことはあまり気にしないで過ごすことにした。好きなことばっかりやり続けてきたので、結局遊んで暮らしていたのと同じ状態で三十二歳になってしまった。子供の頃思ったとおり、三十二歳の今、まだまだ人生バリバリで、あと二年後に死ななきゃならないなんてとても考えられない。しかも正体不明の変な大王に殺されるなんて冗談《じょうだん》じゃない。ノストラダムスが何と言おうと私は死なないし人類は滅亡しない。六十三歳になった母ですら、「孫のためにまだまだ死ねない」と言っている。二十一世紀を目の前にし、いよいよ人類がより一層はりきって楽しく生きてゆくよう目を覚ます時がきたのだ。

そうとでも思わなければ、私が力をいれている健康のための努力がムダになってしまう。過去、飲尿《いんにょう》や水虫、痔《じ》の治療法《ちりょうほう》など、私の地道な健康研究の報告をエッセイに書いてきたが、こんなカッコ悪いことばかり自ら暴露《ばくろ》したにもかかわらず、長生きできずにあと二年で死んでしまうなんてとてもじゃないけどやってられない。

モモエちゃんのコンサート

モモエちゃんが清水《しみず》の市民会館に来るという噂《うわさ》をきいたのは小学校五年生の晩秋のことであった。

噂をきいて私は色めき立った。モモエちゃんが私の住んでいるこの清水にやって来るなんて、信じられない話である。モモエちゃんのような人は、全員東京のテレビ局に住んでいて、外になど出ないものだと思っていたので清水に来てくれるなんて考えてもいなかったのだ。

モモエちゃんが清水に来てくれるとなれば絶対に見たい。どうしても見たい。一体どうすれば見れるのだろう。

友人の話によれば、三千円以上買い物をした人にチケットをくれるというキャンペーンを行っている店が市内に何軒かあったのだが、もうそのキャンペーン期間は数日前に終わったという。

私はガックリした。そのキャンペーン中になぜ誰《だれ》も教えてくれなかったのか。終わってからきかされたって、悔《くや》しさがつのるばかりでどうしようもない。

ところが、ガックリしている私の前にひとりの級友が現れ「さくらさん、私の知っている店で、余ったチケットを一枚千円で売っているのを昨日《きのう》見たから、今日一緒《いっしょ》に買いに行かない？」と言うではないか。

「よし、行こうっ!!」と私ははりきり、早退して買いに行くと言ったが友人達から止められ、放課後走って家に帰って親から千円もらって店へ向かった。普《ふ》通《つう》なら、親に千円もらうのは実に苦労をするのだが、モモエちゃんのコンサートとなれば別だ。親も「そりゃ行きたいだろう」と言ってすぐにお金をくれた。もしもすんなりもらえなかったら店の銭箱《ぜにばこ》から現金つかみ取りをして逃走《とうそう》しようと思っていたがそんなことにならなかったのもモモエちゃんだからこそといえる。

店でチケットを買った私と友人は、うれしくて仕方なかった。これで生《なま》のモモエちゃんが見られるのだ。あとはカゼさえひかなければ、コンサートに行ける。いや、カゼをひいたって行く。

私と友人は、モモエちゃんに何かプレゼントを渡《わた》そうという話になった。プレゼントと一緒に手紙も渡せば、もしかしたら返事をもらえるかもしれない。たぶんきっと絶対もらえないだろうけど、万一ということもあるかもしれないので、悔《く》いのないようにしておきたい。

学校でも、私と友人はモモエちゃんにあげるプレゼントの事を話していた。こんな時、たまちゃんはとても冷静で「ももちゃん、スターっていうのは、いろんなファンの人達からたくさんプレゼントをもらったりするから私達のような子供からのくだらない物をもらったって仕方ないと思うよ。もしもあげるんだったら、最低でも一万円か二万円以上の物じゃなけりゃ、もらってもらえないと思うけど…」と忠告してくれた。そう、恐《おそ》らくたまちゃんの言う通りに違《ちが》いない。スターはみんなお金持ちだろうし、プレゼントも高級な物しか受け取らないだろう。

でも私はモモエちゃんに何かプレゼントを渡したいのだ。たとえそのプレゼントをモモエちゃんが使ってくれなくても全然かまわない。手紙の返事が来なくったって全然かまわない。肝心《かんじん》なのは、私の選んだプレゼントと手紙が、一《いっ》瞬《しゅん》でもモモエちゃんの近くに移動するという事なのだ。プレゼントや手紙は、私達の入れない楽屋に持っていかれるであろう。それだけでもいい。

私と友人はたまちゃんの忠告もきかず、プレゼントを買いに行った。友人は何を買ったか知らないが、私は小さい香水《こうすい》と小さいドライフラワーの花束を買った。この香水をモモエちゃんがつけてくれるだろうなんて思っていなかったし、ドライフラワーを飾《かざ》ってくれるだろうなどとも全く思っていなかった。でも、私は自分のおこづかいで買える範囲《はんい》でモモエちゃんのことを思い浮《う》かべながら、かわいらしくてきれいなモモエちゃんに似合う物を選んだと思い満足だった。

その晩、プレゼントに添《そ》えて渡す手紙を書いた。モモエちゃんに失礼のないよう、きれいな文字を書こうと思い緊張《きんちょう》した。モモエちゃんに伝えたい事は山ほどあるのだが、いざ書こうと思うと特に何も浮かばない。やっと「私はモモエちゃんの大ファンです。これからもがんばって下さい」とだけ書き、自分の名前と住所をつけ加えた。我ながら〝面白《おもしろ》くない手紙だなァ…〟と思ったのだが、何の接点もない憧《あこが》れの人にこれ以上何を言えようか。私はお気に入りの封《ふう》筒《とう》に手紙を入れ、プレゼントと共に手さげの中にしまった。

いよいよコンサートの当日、夕暮《ゆうぐ》れの中に見える市民会館がいつもと違って夢の国の建物のように見えた。中学生や高校生達がザワザワ集まっている。みんなモモエちゃんを見に来ているのだ。この建物の中のどこかにモモエちゃんはいるのかと思うと、「ああっ」と思わず大声でため息をついてしまいたくなるほどわくわくした。

市民会館の中に入り席に着く。舞台《ぶたい》はまだ幕が閉まっているが、これから始まるショーの事を想像しながら幕の模様を見つめてしまう。友人はジュースを買いに行くと言ったが、私は途中《とちゅう》でオシッコに行きたくなったら大変なので水分は摂《と》らないようにした。

やがてベルが鳴り、幕が上がった。〃ついにモモエちゃんが!!〃と思い舞台を見ると、そこにはモモエちゃんとは全く別人の男が笑顔で立っており、「モモエちゃんはまだだよ。先にボクの手品をごらん下さい」と言って手品をやり始めた。男は帽子《ぼうし》からハトや花を出したり、ハンカチの中からウサギ、または何もないはずの掌《てのひら》から次々とボールを出す等《など》の典型的な手品を三十分以上披露《ひろう》し続けた。

彼の手品も、充分見《じゅうぶんみ》応《ごた》えがあった。典型的とはいえ、手品を生で見る機会などめったにないし、何度見ても不思議で楽しい。〃いいぞオッサン、がんばれ手品!!〃と声援《せいえん》を送りたくなってくる。しかし、後にモモエちゃんが控《ひか》えているとなるとどうしても気が散ってしまう。オッサンの手品に気持ちを集中させていることができないのだ。このオッサンのワンマンショーなら私は彼《かれ》に夢中になっただろう。私は集中して手品を見ていない自分に気がつき、オッサンに申し訳ない気持ちになった。でも相手がモモエちゃんならしょうがないときっと彼も許してくれるだろう。

やがてオッサンが去り、舞台に『横須賀《よこすか》ストーリー』の前奏が鳴り響《ひび》いた。そして強烈《きょうれつ》なスポットライトの中から赤い服を着たモモエちゃんが「♪これっきりこれっきりもうこれっきりーですかー」と歌いながら現れた。

感動したなんてもんじゃない。女神降臨《めがみこうりん》とはこのことだ。なんて素敵《すてき》な人がこの世にいるのだろう。私はきっと一生この人のファンだろうな、そう強く感じた。

コンサートの中盤頃《ちゅうばんごろ》、数人の客が舞台の下に行きモモエちゃんに花束を渡し始めたので私と友人もプレゼントを渡しに行くことにした。私達以外にもゾロ

ワー‼
パチ
パチ…
モモエちゃんの
登場に もう
大感動の瞬間

ゾロと客が舞台下に集まってきたので係員が一列に並ぶよう指示し、順番にモモエちゃんに渡すことになった。

コンサートはしばし中断され、モモエちゃんはみんなからのプレゼントをひとりずつ受け取って握手《あくしゅ》してくれた。私は順番が近づくにつれ胸が張り裂《さ》けんばかりにドキドキしていた。

遂《つい》に私の番がきた。私のプレゼントがモモエちゃんの白い手に渡り、モモエちゃんが「どうもありがとう」と言ってくれた。私は握手のために手を伸《の》ばしたが、子供だったためもう少しのところでしっかり握手できず、モモエちゃんの手にちょっと触《ふ》れただけで次の人の番になった。

握手は失敗したものの、私は深く感激していた。ちょっとでも私の手はモモエちゃんの手に触れたのだ。そして、プレゼントを渡すほんの一瞬、モモエちゃんの目の中に私が映っていた。モモエちゃんは一瞬でも私を見てくれたのだ。モモエちゃんの記憶《きおく》には全く残らないと思うが、私の記憶には永遠に残るほどうれしかった。

家に帰り、私はヒロシと母にモモエちゃんがいかに素敵でやさしく素晴《すば》らしかったかを延々と話した。母は「私も見たかったよー」とうらやましそうに言った。父ヒロシも「オレも見たかったなー」とつぶやいた。父ヒロシにしてみれば、家にいる女がこの母さんと私と姉と婆《ばあ》さんというメンバーなのだからたまにはモモエちゃんのような別世界の女性を見たいと思うのも当然だろう。

その後、私は友達から誘《さそ》われて森昌子《まさこ》のコンサートも見に行った。森昌子を見たときも〝わあ、本物の森昌子が演歌をうたってる!! うまいなァ〟とかなり感動した。生で『せんせい』をきくことができ、私はとてもうれしかった。

あとは桜田淳子《じゅんこ》だけだと思っていたが、とうとう生で淳子を見る機会もないまま淳子は結婚《けっこん》してしまった。しかし、私の代わりに確かたまちゃんは淳子のコンサートを見に行ったとか言っていたので、一応これであのトリオは全部チェックしたということにしようと思う。

家庭内クリスマス

我《わ》が家は、クリスマスツリーだけはちょっと本格的なものだった。私が三歳《さい》の時、父ヒロシが市場から約八十センチくらいのもみの木を買ってきたのでそれをバケツに植え、物干し場に置いてずっと育てていたのである。鉢《はち》の代わりにバケツに植えてあるところが非常に貧乏臭《びんぼうくさ》いのだが、クリスマスツリーだけは本格的なもみの木なのだから先程《さきほど》私の言った事は正しい。

もみの木は季節ごと新芽が出たり葉が落ちて物干し場を汚《よご》したり、いろいろ世話をかけながら少しずつ大きくなっていった。私が小学校に通う頃《ころ》には一メートルくらいになったと思う。たいして大きいわけではないが、バケツの鉢で物干し場に置いてあったのだからその程度の成長ぶりが妥当《だとう》なところであろう。

このもみの木を、クリスマスが近くなってくると家の中に入れてオーナメントを飾《かざ》るのが楽しみだった。飾りをつけてやると、こんなもみの木でもかなりクリスマスムードが高まるもので、この木の周辺だけ十一月下旬《げじゅん》から何か幸せそうな家庭の匂《にお》いがした。

私はクリスマスプレゼントに何をもらうべきか真剣《しんけん》に考えていた。せっかく普段《ふだん》手の届かない物をもらえるチャンスなのだから、悔《く》いのないようにしたい。毎年そう思っているのだが、過去何回も悔いを残す選択《せんたく》をしてきた。たとえば三歳の頃、なぜか「羽子板が欲《ほ》しい」と言い、買ってもらったのだが自分ひとりだけ買ってもらっても仲間がいなかったので全く遊べなかった。また一年生の時は「ドライブテクニック」というミニカーを運転させるゲームを買ってもらったがやり過ぎですぐに壊《こわ》れてしまった。また二年生の時は「花札が欲しい」と何やらシブい物を欲しがり、買ってもらったのだが家族全員でそれを使いまくって遊んだためになんか損だった気がした。

その他、ボーリングセットを買ってもらったが室内で遊んではいけないと言われて遊ばずじまいになったことや、何もリクエストしなかった年には一方的に『静岡県《しずおかけん》の昔ばなし』というそれほど欲しくもない本を手渡《てわた》されたりした事もあった。親まかせにしてはいかんということである。

今年こそは悔いを残さないようにしよう、とあれこれいろいろ考えた。考えすぎて〝笑い袋《ぶくろ》〟をリクエストしてしまった。考えすぎるのも考えものだ。

さて、私はクリスマスというものに、漠然《ばくぜん》とした期待を持ちすぎていた。何かすごく素敵《すてき》な楽しい事が起こるんじゃないかと、毎年思っていた。それは、「マッチ売りの少女」がいろんな家の窓の中をのぞいた時に見えたという、ごちそうとか暖炉《だんろ》の火とかワハハという笑い声とか、詳《くわ》しい事はよくわからないがだいたいそんなかんじの事を我が家のクリスマスにも期待していたのだろう。

毎年、いつ我が家にもそのような素敵な様子がおとずれるのかと思って見ていたが、一度もそんな事になったためしはなかった。

一応クリスマスツリーはあり、暖炉のかわりにこたつがあり、たいしたごち

どうにもならないうちの茶の間の図
ダメだこりゃ…
ガックリ

そうではないが普段より少しいい食べ物があり、プレゼントももらい、みんなでTVをみながらワハハと笑ったりしているから、マッチ売りの少女がのぞいた家庭と条件的には似ている気がする。しかし、こんなもんじゃないはずだ。何かが決定的に違《ちが》うんじゃないかと思うのだが、それが何だかわからずに毎年毎年過ぎていた。今年こそ、その何だかわからない部分を見極《みきわ》め、自分のイメージする家庭内のクリスマスを達成してみたい。

私はどうにかならないものかと思い、クリスマス会場となる茶の間を下見に行った。毎日ここで我々は過ごしているが、八畳《じょう》のタタミ敷《じ》きにタンスが二個、そして14インチのTVとこたつ、タンスの上にはガラスケースが置いてあり、その中にはくだらない土産物《みやげもの》の変な人形や置き物がいっぱい並んでいる。片隅《かたすみ》には母のまんじゅう顔を映し出す古びた三面鏡があり、どうにかしようにもどうしようもないという思いがつのるばかりであった。だいたい窓からして、曇《くも》りガラスのさえない窓だ。こんな窓ではマッチ売りの少女が我が家をのぞこうにものぞけやしない。まァ、のぞかれたりしたら大恥《おおはじ》なので曇りガラスでちょうどよかったとも言えるが、それにしてもこの茶の間に何か素敵さを求める事自体無理なのかもしれない。

マッチ売りの少女がのぞいた家庭との決定的な違いは家全体の状態だったのか。いくらごちそうらしき物やツリーや家族の笑い声などがあっても、似《に》て非《ひ》なる物とはこのことだ。ああいうクリスマスを求めるつもりなら、犬を飼う事と同様に、家も建て直さなければならないのかもしれない。私はこたつを見ながらそう思った。こたつじゃ違うだろ、こたつじゃあねぇ、と落胆《らくたん》した。

だが、考えてみれば日本の家庭の多くがこたつを愛用し、こたつでクリスマスを過ごしているはずである。こたつでもどうにか工夫《くふう》すればきっと盛り上がるに違いない。私はまたファイトが湧《わ》いてきた。このどうしようもない茶の間をどうにかしようというのが私の目的だったのだから、簡単にくじけてはいけないのだ。部屋《へや》がこんなかんじでも、ローソクだとかシャンペンだとか、そういう小物で盛り上げる手もある。

私は母に「ローソクとシャンペンを買って」と頼《たの》んだ。すると母は「ローソクなんて、わざわざ買わなくても家にあるでしょ。シャンペンは、子供用のやつを二本買ってあるよ」と言うではないか。そういえば、仏壇《ぶつだん》にローソクならいつでもあるし、子供用のシャンペンがあるのならバッチリだ。もしかしたら今年は、ちょっと素敵になるかもしれないという希望がみえた。

クリスマスの夜、こたつの上には七面鳥の代わりに鶏《とり》のからあげが皿にのり、ハンバーグと子供用のシャンペンとケーキ等《など》が並べられていた。TVの横にはクリスマスツリーもあるし、仏壇からローソクも何本か持ってきた。やはり今年はいけそうだ。

やがて父ヒロシと母と姉がやってきて、いつも通りに父がTVをつけ、皆《みな》てきとうにこたつに入って座《すわ》り、話をしたり食べ物を食べたりし始めた。

ちょっと待ってほしい、これじゃこのままいつもと同じパターンで終わってしまうではないか。クリスマスの夜が始まりますよ、というオープニングをしっかりやらなくてはいけないんじゃないか。そう思い、私は「ねえちょっと、クリスマスらしくパーティーのはじまりってかんじにしようよ」とあわてて言った。

私の発言をきき、他三人《ほか》は「は？」という顔をした。「どうするんだね」と母が言うので私は「もっとこうさァ、なんか、『さあ、パーティーですよー』って言うとか」と言うとヒロシが「じゃあパーティーですよ〜〜〜。これでいいか？」と、完全にバカにした口調で言ったので頭にきた。ムッとしている私に母が「ハイ、コレ、あんたのプレゼントね。そんでコレがお姉ちゃんのだよ」とプレゼントをサッサと配った。私は「プレゼントは、サンタクロースの服をきて配ってほしかった」と文句を言うと、ヒロシが「もらえりゃどうでもいいじゃねぇか」と言った。

みんな、私のことなど気にせずＴＶをみたり雑談したりしている。仕方ないのでプレゼントを開けると、リクエスト通りの笑い袋がでてきて少しやるせない気持ちになった。一応袋の中央を押《お》してみると、予想通り「ワハハハハハハ」という笑い声がひびき、家族一同「おっ」と注目してつられて笑った。

私は過ぎゆくクリスマスの夜を〝…こんなもんじゃないだろ…〟という気持ちで見送っていた。だからって、この家族と状況《じょうきょう》を見る限り、どう考えてもどうしようもなかった。ヒロシをはじめ、母や姉が急に賛美歌《さんびか》をうたうなんてことありっこないし、イエス様がどうこうなんて全く関係なさそうだ。

クリスマスのムードって一体何だろう。そして、私の求めている楽しげなかんじって、一体何だったのだろう。よくわからないままケーキやハンバーグを食べ、シャンペンを開けようという事になった。

ヒロシが「シャンペンのフタは飛ぶぞー」と言ったため、急に全員深刻になった。フタが飛んで窓が割れたり電球が割れたりしたら困るから、外で開けた方がいいんじゃないかという事になり、家族そろって隣《となり》の空地に移動した。

外は非常に寒かった。ヒロシは二本のシャンペンのフタを次々と音をさせて遠くに飛ばし、全員「寒い寒い」とこごえながら家の中へ戻った。〃…なんか違うなァ〃とこの時も私は震《ふる》えながら思ったものだ。

用意した仏壇用のローソクは、火をつける機会もないまま転がっていた。私がシャンペンを飲んでいる最中、ヒロシが立ち上がって「さァて、風呂《ふろ》でも入って寝《ね》るか」と言った。そのあと母が「おとうさんが出たら、ももこが入りなよ」と続けて言った。

私は「あのさ、今日はクリスマスなんだから、風呂とかそういうんじゃなくってさ、なんかもっとやんない?」と言うとヒロシが、「何を?」とき返してきたので困った。

何をやるのかわからないが、もっと何かやりたいのである。私が「…わかんないけどさァ」と言うとヒロシは「うちはクリスチャンじゃねぇんだから、なんにもナシよ」と欽《きん》ちゃんの口調で言って去っていった。

…クリスチャンの家庭でなかった事が、何か足りないと思っていた大きな原因だったのだ。私と姉は一応教会へ通っていたが、ヒロシは違うもんなァ…と思った。そして何気なく姉のもらったプレゼントを見ると、自動巻きの腕時計《うでどけい》が箱に入っていた。うらやましく思った事は言うまでもない。

あとがき

去年、私は約半年間にわたり、世界のあっちこっちをめぐっていた。なんでそんなにめぐっていたのかという理由を御存知《ごぞんじ》の方も多いと思われるが、知らない方のために一応説明しておくと、集英社の「ｎｏｎ‐ｎｏ」という若い女性向きのおしゃれな雑誌で、私の旅行記を連載《れんさい》させていただくという仕事のためにめぐっていたのである。この仕事は私にとって、大変有意義《ゆういぎ》であった。半年間に世界のあっちこっちをめぐるなどという体験はめったにないからよかったなァ…と、旅行を終えてボ――ッと過ごしているうちに年が明けて一九九七年になっていた。

一九九七年になるとすぐ、集英社の新福《しんふく》さんから電話がかかってきた。「シリーズ第二弾《だん》のエッセイのカンヅメをいつにしましょうか」というものだ。

カンヅメのときのもちもの
←Tシャツとか
パンツ 2〜3枚
(もちろんせんたくするよ)
←コーヒー豆の粉
コーヒー
←コーヒーをのむための道具
←お茶っ葉
(無農薬のやつ)
茶
←茶こし
←マグカップ
←ミネラルウォーター
1.5ℓのやつを
6〜7本
水
←CD
10枚くらい
コーネリアス
電気グルーヴ
ボブ ディラン 他
健康食品の各種
←ブレンドしたやつ
1週間分
息子の写真
←「ちびまる子ちゃん」
4〜9巻
(ネタ用)
←おかし
(4つとか)
←辞書
国語辞典
←けしごむ
原稿用紙
400字詰
150枚
シャーペン
0.7
シャーペンしん
(0.7のB)

私はもう少しボ――ッとしていたかったので、二月中旬《ちゅうじゅん》にして下さいと答えた。二月中旬なら、なんとなくいいんじゃないかと思ったのだ。新福さんは早速《さっそく》、去年と同じあの素晴《すば》らしいパークハイアットホテルを予約してくれた。

「…またあの夢みたいなホテルで仕事ができるのか…」と思うとパァァ…っという気持ちになり、自分で二月中旬と言ったにもかかわらず一日も早くその日が来るといいなァと少し待ち遠しくなっていた。

ずいぶん待ち遠しいと思っていたが、熱帯魚やカメやカエルや息子《むすこ》の世話をやいているうちに日々は過ぎ、カンヅメの日がやってきた。

あいかわらずステキな部屋《へや》からは東京の街がバ――ッと一望でき、遠くには富士山《ふじさん》もかすんで見えていた。富士山も私のカンヅメを応援《おうえん》してくれているに違《ちが》いない。こんなにいっぱい空が見えるこの部屋なら、うまくゆけばカンヅメ中に一〜二回UFOを見ることもできるかもしれない。いろいろな夢がふくらんでいた。パークハイアットホテルとは、そういうときめきを与えるホテルなのだ。

私はお風呂《ふろ》に入ったりマッサージをしてもらったり、何かおいしい物を食べたりコーヒーを飲んだり、毎日楽しく過ごしていた。そのような事以外の時間にはエッセイを書くという作業をしていた。途中《とちゅう》、集英社の新福さんから「何か御不便なことがあったら何でも言って下さい」と言っていただいたが、このホテルで何か不便なことがあるなどと言ったら、一体この世の便利とは何かという話になるであろう。私は新福さんに「自宅よりよっぽど便利で快適ですので御心配なく」というようなことを告げた。新福さんは私のことをいろいろと心配してくれるのだ。いつもの横山さんはカンヅメに入る直前にフルーツゼリーを「これ、おやつです」と言って下さった。私はおかしをちょくちょく食べるので、おやつをもらったことはうれしかった。

みんなからの励《はげ》ましと恵《めぐ》まれた環境に支えられ、カンヅメの一週間は過ぎていった。その間、北朝鮮《きたちょうせん》（朝鮮民主主義人民共和国）の黄《ファン》氏が突然亡命したりして、一体どうなるのだろうと固唾《かたず》を飲んで見守っていた事もあった。ジョンベネちゃんという少女の殺害事件の話題もかなり盛り上がっていた。私がこのホテル内で呑気《のんき》に過ごしている間も、世界はあわただしく動いているのだ。

このカンヅメにより、約半分の原稿《げんこう》が出来上がった。自分としては、あんなにいい目にあわせていただいたのだから、せめて三分の二は出来上がっていなければいけなかったなァ…と少し反省したものだ。新福さんや横山さんも、口では「いやァ、半分も上がれば上出来ですよ」と言ってくれてはいるが、内心「…半分かァ。ちょっとやばいんじゃないの」と思っているかもしれない。私が編集者なら不安だ。残り半分を、〆切日《しめきりび》までにさくらももこがちゃんとやるかどうかなんて、本人にきいたってよくわからないというのが本音のところである。

まァ、〆切の六月いっぱいまでにはまだあと四カ月もあるのだから、どうにかなるだろうと思っていた。一週間のカンヅメで、半分できたのである。いざとなればまたカンヅメという手もあるし、コツコツやればいいや、と思って油断したとたんカゼをひいてしまった。あんなに健康に気をつけていたのにカゼをひくなんて、私は悲しかった。何日もセキが止まらないのである。ひどい時には呼吸困難になるかと思うほど連発でセキがでた。とてもじゃないけど仕事なんてする気にならなかった。私はひとりで部屋にこもり、セキをしながらすさんだ気持ちでトホホ…と三月をやりすごした。

四月になり、桜の花が咲《さ》くころ、ようやく私のカゼは回復した。桜の季節は自分のためにあるのだ、そのためにこのペンネームにしたのだ、桃《もも》の花の季節はカゼで棒に振《ふ》ったが、せめて苗字《みようじ》のほうだけでも満喫《まんきつ》しようじゃないか、というはりきった気持ちになり、四月八日の息子の誕生日には大サービスして後楽園ゆうえんちに行った。行ったとたん、グルグル回る〝まわりモノ〟に乗ってしまい非常に気持ち悪くなった。「…まわりモノはいかんなァ…」と痛感したが、まわってしまった後にそんなこと思ったって手遅《ておく》れである。その日一日、なんだか気持ち悪さを引きずってしまい、息子に「おかあさん、まる子よりトーマスの方が好きだよ」などと言われながらさっさと床《とこ》に就《つ》いた。息子も三歳《さい》になり、かなり口が達者になってきたかと思ったら、親が傷つくようなことも平気で言うのである。まる子よりトーマスが好きなら、トーマスに遊んでもらえばいいじゃん、まる子はもう疲《つか》れたから寝《ね》る寝るっ、と私が心で叫《さけ》んで眠《ねむ》ったことなど息子は全然知らないだろう。

なんかそんなかんじで四月が過ぎてしまった。気がつくと五月になり、五月八日がやってきた。私は三十二歳になったわけである。五月こそ、本当の私の季節じゃないか、よし今月はちょいと馬力をかけてがんばるよわたしゃ、などとリキんでいたところ、息子が水ぼうそうにかかってしまった。まったく迷惑《めいわく》をかける奴《やつ》である。しかし「トーマスに面倒《めんどう》みてもらえば?」とも言ってられないので仕方なく二週間ばかり世話をやいていた。私のエッセイは一体いつできるのか、本格的に心配になってきたのもこの頃《ころ》である。新福さんからも時折

「…どんなかんじですすんでますか」という連絡がきたようだが、どんなかんじもこんなかんじもありゃしませんです、という状況《じょうきょう》であった。

息子の水ぼうそうが治り、少し暑くなってきた五月下旬から、私はようやく残りのエッセイをコツコツ書き始める事になった。これで新福さんも少しは安心するだろう。「やり始めてますよ」と電話しようかと思ったが、また何かのはずみで書けなくなったりするとみっともないので電話するのをやめた。

意外にも、トントン拍子《びょうし》で原稿はすすんでいった。こんなことなら新福さんに電話すりゃよかったな、とさえ思ったほどだ。しかし、「いやァ、絶好調ですよ」などときかれてもいないのにこちらから一方的に告げるのもどうかと思い電話するのをやめた。このぶんだと、〆切日よりだいぶ早く仕上がりそうなので、これはひとつ早目にババ――ンと原稿をそろえて新福さんに渡してビックリさせてやろう、そうすりゃ新福さんも横山さんも喜ぶぞ、キヒヒヒヒという愉快《ゆかい》な気持ちになり、次々原稿を書き上げていった。

そんなわけで、いろいろあったが原稿は早目に無事出来上がったのである。しかし、書き終えた後ハッとしたのだが、〝遠足の話〟を書き忘れてしまった。前回の『あのころ』の中で、〝遠足に行った時の事はまた今度詳《くわ》しく書く〟と言っていたのに、書くのを忘れたのである。というより、〝書こうかな…〟と思ったのだが、ちょっと書いてみてあまり面白《おもしろ》くなかったので自らボツにしたと言った方が正しい。遠足は、面白くなかったので、文章にしてみてもつまらなかったのだ。つまらないつまらないという事ばかり書いても、読んでるほうもちっとも面白くないだろうな、と思ったのでやめたのだが、もしも遠足の話を楽しみにしていた方がいらっしゃったらどうもすみませんでした、という事で許してほしい。

さて、早目にできた原稿を新福さんに渡《わた》そうと思い連絡をすると、新福さんは案《あん》の定《じょう》大変に驚《おどろ》き、「は？・原稿ができたって、一体何の原稿でしょうか？・」と何が何だかわからないようであった。私の思う壺《つぼ》以上に反応してくれた新福さんを、私は手を打って笑って喜んだ次第《しだい》である。新福さんをビックリさせるために早く書いたのだから、そのかいがあって本当によかった。

原稿を書きあげてすぐに私は吉祥寺《きちじょうじ》のユザワヤに行った。ユザワヤとは、いろんな物がいろいろ豊富に売っている便利な店なのである。いろんな物とはだいたいどういう物かというと、手芸の材料や画材、模型や文房具《ぶんぼうぐ》、その他ブランド品や下着や植物など、たいがいの物はユザワヤに行けばみつかるだろうな、というような店だ。これが最近吉祥寺にできたので私としてはうれしかった。東急ハンズが新宿にできたのもかなりうれしいが、今はユザワヤに行った話なのでそちらを優先して話をすすめてゆく。

なぜユザワヤに行ったのかというと、この本の表紙を作る材料を買いに行ったのである。まだ装丁《そうてい》の祖父江《そぶえ》さんとも相談していないが、私は今回はフェルトを使ってアップリケでいこうと勝手に決めていたのであった。それでフェルトを買いにユザワヤに行ったのだ。

ユザワヤの店内に一歩入ったとたん、フエルトとは全然関係ない場所にどんどん自動的に足は進んでゆき、〝手作り壁《かべ》かけミラー〟の材料を二個も買ってしまった。手作り壁かけミラーなど全く作る予定はなかったが、材料を見たとたん作りたくなったのである。

そのあとなぜかボールペンを十本も買い、充実《じゅうじつ》した気持ちを感じていた。そのままステンドグラスの材料売り場へ直行し、電気のカサの骨組みを買った。この骨組みを工夫して、カワイイ電気のカサを作ろうというつもりなのだ。

ようやく手芸売り場に行き、フエルトを探している最中、バッタリ〝世界のチロリアンテープ〟という場所に出会《でくわ》し、そこで私はおおいに時間を費《ついや》してしまった。世界のチロリアンテープがここにはあるのだ。多種多様の美しく可愛《かわい》らしいチロリアンテープを無視してフエルトなんかを探していられるものか。

特に使う予定もないのに、チロリアンテープを数十本も買ってしまった。エプロンでも作ろうかなァ…、とボンヤリ思いつつフエルトを探しに店内をまたうろつき始めた。すると、なんともきれいな世界のボタン売り場にたどりついたため、私は我を忘れてボタン選びに没頭《ぼっとう》してしまった。次々と現れるめくるめく世界のボタン達に私は熱狂し、「けっこう買ったよな」とつぶやきながらボタンをレジに持ってゆくと、レジの人から「数をかぞえてから持ってきて下さい」と言われ、数をかぞえてくれる店員の人に頼《たの》んでかぞえてもらったのだが、なにしろ数が多かったためにここでもかなり時間を費してしまった。

その後、フエルトを短時間のうちにサッと選んでユザワヤを出たが、すでに日が暮《く》れかかっていた。「今日はユザワヤの一日だったな…」と思いながら、パン屋に寄ってやたらとパンを買ったために荷物が増え、腕《うで》の筋《すじ》が少しやられた感じがしたが無事に家にたどり着いたわけである。その日、徹夜《てつや》で〝手作り壁かけミラー〟二個と、電気のカサを作った。鏡は、ひとつは自宅のトイレに、もうひとつはどこに置くべきか悩《なや》みの種となっている。電気のカサも今のところどこに使うか決まっていない。つまりもてあましているという状況だ。こんなことになるのがユザワヤマジックという現象なのである。東急ハンズに行った場合も似たようなことになる。

そうこうしているうちに少し日々は過ぎ、装丁の打ち合わせの日がやってきた。祖父江さんとの久しぶりの再会に「おお祖父江さん」「あ、さくらさん」「元気⁉」などとしばし喜び合い、すぐに装丁の打ち合わせに入った。

打ち合わせ後、私は吉祥寺のボタン屋さんへ行った。このままユザワヤでボタンを買ったにもかかわらずまた違うボタン屋へ行ったのだ。その店で今回の表紙に使うためのボタンを買った。かわいいボタンがいっぱいあったのでどれにしようかさんざん悩んだ。この店にはビーズもたくさん売っており、私はそれもいっぱい買った。このビーズで髪留《かみど》めを作るつもりなのだ。

家に帰り、すぐに髪留めを作る作業に没頭した。ビーズを次々ゴムに通してゆくという単純な作業が非常に面白く、二十個も髪留めを作ってしまった。さすがの私もこの時ばかりはハッとし「何をやってるんだ私は」と思い、あわてて表紙を作り始めた。

前回のモザイクと違い、今回のフェルトでの「まる子」はかなり楽であった。型紙を自分で作り、型紙通りにフェルトを切り、はりつけてゆくだけでＯＫだ。さんざん悩んで選んだボタンもいいアクセントになっていてうれしい。モザイクの時は三日だか四日間、ずっとずっと取り組みつづけてやっと完成したという辛《つら》い目にあったが、今回のフェルト作戦ではわずか三時間ほどで完成した。時間をかけずにイイ感じの物を作ることこそ大切なのだ。今回の楽にできたことを教訓とし、今後も楽にできる工夫《くふう》を考えてゆこうと思う。今回のまる子の顔の中で、一番苦労した点はまゆ毛である。フェルトを、細く細く切ってくっつけるのに大変手間どった。しかし、今回は前回のような情けない表情ではなく、わりかし楽しそうな笑顔になったところがめでたいではないか。笑顔のまる子を作りたいと思っていても、絵ならすぐに描《か》けるが、工作モノだと変になってしまったりして案外むずかしいのである。だから今回うまくいったことはめでたいのだ。

すっかりあとがきが長くなってしまったがどうにか今年も第二弾が出来て本当によかった。この第二弾には、オモシロおまけページも少しついているので、ちょっとだけ得だと思う。

それでは、皆様《みなさま》また次の第三弾（いよいよシリーズ大クライマックス!!）でお会いしましょう。どうかお元気でおすごし下さいませ。

一九九七年　六月中旬　深夜

自宅の仕事場にて
さくら　ももこ

さくら ももこの手引き

わたしは
おもしろいことを考えて
あなたのところに
あそびに行くという
職業をしています。
職業じゃなかったとしても
大好きなことなので
職業だったことは
偶然にも幸運でした。

いつでもどこでも あなたが
わたしを呼んでくれたら
わたしはいつもの荷物を
カバンにつめて
あなたの家に元気に
あそびにいきます。

そうして あなたと一緒に
笑います。
それがわたしの
いちばんうれしくて大切なこと。

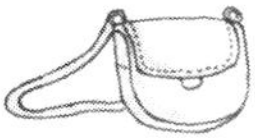

ももこの
カバンの中身
・おもしろい本
・健康食品
・お茶
・おもしろいことをかいたメモ

だから わたしが
あそびに行くときは
やかんでお湯をわかして
お茶の用意をしといて
下さいね。

あなたが持っている本を
ひらいたとたん
「ピンポーン」という
チャイムの音が
するはずなので
そしたら急いでドアを
あけて下さい。

するとわたしはきっと
「こんにちは」と
言いますから
あなたはにっこり笑って
次のページをめくって下さい。
こうして私の話は
どんどんすすんでゆきます。
あなたと一緒に。

MOMOKOの手引き
おしまい。

巻末お楽しみ対談

糸井重里＋さくらももこ

ももこの家庭だけの定説

糸井　おれ、煙草《たばこ》やめたんです。一日四箱も吸ってたのにね。多い人のほうがやめやすいって話がある。ただ、周りに迷惑はかけたよ、やめるとき。いつもすすり泣いてるんだもん。悲しくて。オフコースみたいになっちゃってた。会社に出かけても人に会わないようにして、奥の部屋に一人で入っちゃって静かにしてるの。

さくら　なんでやめたんですか。

糸井　やっぱり勝負させられるじゃないですか、外に出ると。ミーティングとかで、あでもないこうでもないっていうときに、吸わないで平気な人と吸わないともたない人の差が出るじゃん。吸わずにはいられないのかという目で見られると、なんか弱みを見せてるみたいでしょ。だから、できたらやめたいなって。そういうところは意地っ張り。

さくら　男だね（笑）。
糸井　もう一年半ですよ。
さくら　すごーい。偉いですね。
糸井　でも、今も吸いたいよ。だから、吸ったまねだけして、口で息して「スーッ、ハァーッ」ってやったりしてるんだよ。ニコチンじゃなくて、気持ちが欲しいんでしょうね。「原稿書く人はやめられないんだ」と橋本治《おさむ》は断言してましたけど、そういえばおれ原稿書いてないわ、とかね。
さくら　事務所はみんな禁煙ですか。
糸井　事務所は四階なんですけど、階段一つ上ると屋上なんですよ。屋上は煙草吸う場所にしたら、誘い合って出かけてる。みんな、コート着て、いそいそと行きますね。だから会社の中は禁煙になっちゃいました。ももちゃんのところは吸い放題？
さくら　いや、吸い放題じゃないけど。でも、私、あんまり事務所に行かないんで。うちの事務所では吸う人は二人だけなんですが、一人は、仕事中は吸わない。原画とか扱っているせいかな。
糸井　そういう人はやめたほうが楽だと思うよ、人ごとながら。おれなんて、ほんとうにくわえてないと生きていかれなかったからね。

さくら　私もそういうところありますよ。

糸井　やめたくなったら僕に相談して。いいヒントあげるよ。

さくら　うん、わかった（笑）。ただ、うちは親戚《しんせき》もみんな吸ってるけど、みんな長生きしてるんですよ。だから体質的にも結構合ってるんじゃないかな。あるんですよね、煙草の体質って。

糸井　そんなこと、あんまり強く言われてもな（笑）。

さくら　そうそう、何の根拠もない（笑）。あると思わせて自分を甘やかしてるだけなの。ももこの家庭だけの定説。

糸井　じゃあ息子が、「おれ、煙草吸おうと思うんだよね」って十八ぐらいのときに言ったとする。

さくら　それは「吸ってもいいけど、アレルギーなんで、医者にも相談したほうがいいよ」って言う。

糸井　うちは子供がおれに隠れて吸ってたんですよね。それを友達がおれにチクッたんです。美大とかってみんなこう、立てひざで一服、みたいなファッションでしょう。

さくら　私は、「ファッションで吸うんだったらやめろ」と言うんですよ。ほんとうに好きだったらいいんですけど、格好いいからと吸うもんじゃないよって。

糸井　ももちゃんはどうして吸い始めたの。

さくら　私は、アシスタントの子が煙草をうちに忘れていったんですよ。二十一歳のとき。その忘れ物の煙草見て、「煙草か、百害あって一利なしって言うけど、一利ぐらいあるから吸うんだろうな」と思って、じゃあちょっと吸ってみるかと。で、吸ってもむせることもなくて、納得したんです。なるほど、これはわかる（笑）。

糸井　ももちゃん、まずクエスチョンマークが浮かぶんだよね。

さくら　そうそう、どうしてなんだろうって。

糸井　で、やるんだよね。

さくら　すぐね（笑）。

十年ごとの節目の誕生日、どう過ごす

糸井　僕らが最初に会ったのは、「ちびまる子ちゃんトランプ」を新幹線で売る話のときだったかな？　西武百貨店の「日本で一番有名な三年生です」というポスターが

先？

さくら　それが先かもしれないね。とにかく仕事です。多分、十五年くらい前だったと思う。

糸井　ももちゃん、そういう年号とか覚えるタイプ？

さくら　あんまり覚えない。まる子がヒットしたのが十四、五年前で、そのころだから、大体十四、五年前かな、と。すごくアバウトですけど。

糸井　そのころですよ。で、ももちゃん、心細い時代だったんだよね。「いいのかな、当たって」みたいな思いがあったとき。

さくら　結構短期間にワーッてなったんでね。家の中で描いてるだけだったんで、ああした騒ぎになっていることも人ごとみたいだったんです。ただ、いろいろなことがあって、いい人もいれば悪い人もいるなとわかった時期。で、糸井さんに会ったときに、「大人の世界ってこんなんなんですかね」と相談したんです。

糸井　心細かったんだよね。早い話が、だれもが悩むことを普通に悩んでた。たしか腰も痛めてたしね。

さくら　そうそう、腰も痛めてた（笑）。

糸井　わかりやすいよね。

さくら　すごく弱ってました。糸井さん、そのころまだ三年生だったお嬢ちゃんと一緒に来てくれて、すごく心配してくれて。私は『ビックリハウス』を読んでたんで、糸井さんといえばほんとうに八〇年代のヒーローだから、最初緊張してたんですけど、一目見て「ああ、よかった」って。最初に会ったときから知ってる人みたいだった。

糸井　うちの子がまだちびまる子ちゃんの年ですね。子供が読んでた『ちびまる子ちゃん』を、おれが借りて読んでた。で、この人おもしろいなあと思ってたんだ。まだももちゃんが、化け物を描いたりする前。びっくり箱からいろいろな変なものが出ました的な漫画をまだ描いてない時代なんだよね。でも、奥にあやしいものが隠れてたんだよなあ（笑）。

さくら　そのころ、糸井さんに教えてもらったのが節目の誕生日の過ごし方。糸井さんが読んでくれた私の本の中に、二十歳の誕生日の日のことを書いてあるのがあって、「ももちゃん、二十歳の誕生日の日をちゃんと過ごしたね、偉かったね」と言ってくれましたよね。「僕は十年ごとの節目の誕生日はすごく大事にしたほうがいいっていうことを最近発見した」（笑）。「周りの人にも聞いたんだけど、その後の十年は、その誕生日にすごく象徴される十年になってる」と、教えてくれたでしょ。そのとき、私は二十六、七歳だったんですよ。

糸井　根拠はないんですけどね。おれは、ふっと、何か、あの日あったことがものすごく象徴的だなと思ったのよ。ほかのいろいろな人に聞いてみたら、結構見事にあたってるのよ。で、三十前の若い人にはそれを言いたくなるわけ（笑）。ももちゃんは、二十歳の誕生日に真っすぐ歩いたんだよね。人の庭まで通りたかったって話。

さくら　公園で少し休んで空を見たり、寄り道して画材を買ったり、とにかく半日そういうことをして過ごして、大通りを真っすぐ歩いたんですけど、これ以上真っすぐ行けなくなるんで、Uターンして帰ってきたんです（笑）。で、私の二十代ってほんとうに真っすぐだったんですよ。とにかく自分の道を真っすぐ進もうという気持ちが強かった二十代だったので、糸井さんの言うことは正しいと納得したんです。だから、三十の誕生日の日はこうして過ごそうというのを朝から晩まで細かくちゃんと計画して、過ごしたんです。

糸井　高いところに行ったんだっけ。

さくら　東京タワーに上りました。東京に住んでる私が日本中におもしろいものを発信しようって、気持ちを引き締め、頑張ろうと志を新たにしたかったんですね。それから美容院に行ってみたり、子供のことや仕事のことも、全部細かく分けてやったんです。今三十九で、今度四十になるんですけど、三十代を振り返ってみると、細かいことまで全部が三十歳の誕生日に集約されているんです。すごく細かいことも、シンボリックなんです。例えば私、その日東京タワーに行ったとき、それまでやったことのないカメラを持っていって、撮ったりしたんですね。そうしたら、たまちゃんのお父さんのことでカメラの話を書いたのをきっかけに、ライカの人からカメラまでもらった（笑）。美容院も。

糸井　好きになったよね、美容院。

さくら　美容院が好きになった。朝は子供の世話をするというのも、仕事を自分のペースでやるっていうのも組み込んでたので、ちゃんとそのとおりにやれているんです。別に、守ろうとして生きてるんじゃないんだけど。

糸井　自然とそうなってる。

さくら　そうなんです。それはもう魔法のような感じ。要するにあんまり頑張り過ぎたらいけないから、できることしかしないようにしようと思って。だから誕生日の計画をするにしても適度にやったの。三十九になって、振り返ってみるとほんとうにそのとおりになってるから、これは糸井さんにも、「どうもありがとうって言わないと」と思ってた。あれ聞いてなかったら、間抜けで過ごすところでしたから、絶対。

糸井　ひょっとしたらそのほうが幸せだったかも知りませんよ。間抜けもいいと思うんだけどね（笑）。ただ整理したいっていう気持ちそのものが、その後の十年に応用できるよね。でも、ももちゃん、三十九になったんだ。人って知らないうちにこっそり年とってくよね。おもしろいでしょう、年とるのって。

さくら　おもしろいですよ。どんどんおばあさんになってもいいぐらい（笑）。

糸井　おれも、それ、早く知ってたらよかったと思った。年とるの怖がってる人とかっているじゃないですか。とんでもないよね。とればとるほどおもしろい。

さくら　何か、勝手になっていくじゃないですか。

糸井　アナーキーになっていく。

さくら　そうそう。でも、糸井さん、若いです。

糸井　おれは、体重計によれば、肉体年齢四十三歳だからね。体重計が「あんた四十三歳やおまへんか」と言うわけよ。そうすると悪い気はしないじゃない。「そうお?・」

　みたいに、ちょっとニヤッとする。
さくら　そんな体重計あるんですか。どこで売ってるんですか。
糸井　普通に通販で買ったんだけど。それに乗っかって量《はか》ると、一週間前とか一カ月前の体重や体脂肪もわかるわけ。
さくら　えーっ、おもしろい。欲しい欲しい、それ。買う買う。
糸井　何がいいってダイエットに使える。その数字を毎日見てると、「あ、いけね」とか思うのよ。つまり、ちょっとした増えとかに思い当たることがある。僕、だって五十六ですよ。
さくら　糸井さん、『ビックリハウス』で見てたときから変わってない。
糸井　実は、やせたり太ったりもあるんですよ。『ビックリハウス』の時代は五十三キロだったのが、六十九キロまで行きましたからね。それを量りに、毎日「どうよ」みたいなことを言われるんだったら、おれ、頑張るわ、みたいになっていく。
レントゲン見ると脂肪肝《しぼうかん》だったんですよ。
さくら　うち、夫が今脂肪肝ですよ。
糸井　あ、その量り、買わなきゃ、ダメよ。脂肪肝だって僕、解決してますよ。自力で、食事だけで。

さくら　すごい！

糸井　こつ教えますよ。

さくら　私は大丈夫なんですけど。私はほんとうにヘルシー。煙草だけが悪いんですけど、それも全然払拭《ふっしょく》するほどに健康な食生活なんです。だって、果物野菜ジュースを一日四杯飲むんですよ。

糸井　おさる的な生き方をしてるわけだ。

さくら　それで卵を食べて。あとご飯をちょっと梅干しで食べたり。家では基本的には、そういうの好きなんです。

糸井　じゃあ、ももちゃんに秘密の米を今度送るよ。そんなものが存在するのはよくないっていう、塩かけただけでおかわりできる米。でんぷんは脂肪になりますからそんなに食べちゃいけないんで、僕はいつも最後にご飯茶碗《ぢゃわん》にかるーく一杯しか食べない。でも、そのご飯はご飯がごちそうなの。鳥鍋《とりなべ》とか食べたあとに、「さあご飯にするかな」と言って楽しむ。

さくら　すごいね、そのご飯（笑）。

糸井　全盛期のマイケル・ジャクソンであり、視聴率四十パーセントいくんじゃないかっていう『ちびまる子ちゃん』であり。とにかくそういう米。うち、社員旅行でそこの水路の掃除に行ったんです。

さくら　どこですか。新潟？

糸井　新潟ですけどね。

印象派の畑にはパパイヤがなる

さくら　私、糸井さんちの社員旅行にも行ったことあります。

糸井　熱海《あたみ》の先に行きましたね。ばからしかった。うち社員三人ぐらいしかいないんだから、社員旅行なんかできないんですよ。だから、人をかき集めてバス旅行。ももちゃんもその一人。

さくら　ものすごいたくさんの人が来てましたね。（宮沢）りえちゃんも来てたし。おもしろかったですよね。だってあんな変わったことなかなかないですもん。バスの中でお菓子配られたり、ずっとみんなぺちゃくちゃしゃべってたり。それで、糸井さんが座布団三重くらい上のお殿様みたいになって、「まあ聞け、もうじき赤城山《あかぎやま》が出る」って（笑）。で、みんなワーッと窓の外見て、「出る出る」。

糸井　よく、覚えてますね。でも、僕ら、大事なことは覚えてないですよね。思い出しか覚えてないというか。

さくら　印象派なんですよね。私、特にひどいんです。正確に覚えてなくて。だから人からはばかにされます。「銀行のカレンダーか」なんて言われますよ。印象を、しかも自分なりのおもしろかったというフィルターでしか覚えていないので、間違ってたりするの。

糸井　それ、仕事でもあるもんね。

さくら　それが全部仕事になる。だから、興味がなかったら覚えてないんですよね。そのときにおかしかったことは尾ひれつけて覚えてるんで、間違ってるんです。だからすごく正確に記憶してる人に……。

糸井　「違うよ」なんて言われたら困るんですよね。

さくら　「だから、そういう細かいことは言うな」みたいな。

糸井　「そこにはインド人はいなかったよ」みたいな。

さくら　でも、イメージではいるんですよね。

糸井　「あれ、インド人いなかった？」みたいな。
さくら　私は多分、糸井さんにそう聞かれたら、「いた」って言うんですよ（笑）。
糸井　共通の幻でね。この間、またうちの社員旅行やりましたけど、温泉十カ所ぐらい入ってね。町が温泉なんですよ。渋《しぶ》温泉っていうところでね。
さくら　渋！　行ってみたいな。
糸井　ばかですよ。おれノーパンで走り回ったもん。町の道沿いにあっちこっち温泉があって、鍵が閉まってるんですよ。それで通行手形のキーホルダーのついた鍵を渡されて、次々勝手に開けて、十カ所ぐらい入るんです。入ると地元の人が背中流したりしてるんですよ。で、途中でタオル忘れちゃったんですね。だから、ザバーンって入って、「浴衣《ゆかた》がタオルです」の状態で、秋の町をパンツ持って走るんですよ。で、また入って。疲れ果てちゃって、早く寝ちゃいましたね。
さくら　いいですね。おもしろいですね。
糸井　おれ、思ったんだけどね、自分がやってる行動の中に、そのときはおもしろくないのに後で思い出として語るために無理をしてるときがある。
さくら　ありますよ、それは。

糸井　途中からノーパンになったときに、はいてもよかったような気がするの。でも、後でノーパンって言ったほうがおもしろいからはかなかった。そういうことが、年とるとちょっと減るんですよね。恥をかかなくなるからね。

さくら　でも、私はありますよ、まだまだ。まだ若いですかね。そういうことするつもりはなくてもそうなっていくということはありますよね。

糸井　ばかを上手に育ててますよね。内なるばかを、磨き込んでますよね。

さくら　磨くつもりがなくても、自然にね。

糸井　いい畑持ってますよね（笑）。普通はね、苗として育ったものを田んぼに植えかえるわけですよ。田んぼが社会なわけです。だから、例えば西武百貨店に勤めた者なら、そこですくすく育って、「そんなことしてちゃだめよ」と言われて米がなるんだけど、ももちゃんは稲なのにパパイヤがなってる。

さくら　常識とかなしなんです。

糸井　記憶の話に戻ると、ももちゃんの本を読んでると、早い話が引用がない、数字がない。これは僕も全く同じなんですよ。引用がない理由は、つまらないから。読んでる人もつまらないけど、自分も書きたくない。調べてる暇があったら何かくだらないことで埋めておけばいい。

さくら　アハハハ。具体的な場所とか日時とか月日とか、そういうデータ的なことはほとんどない。

糸井　多分、漫画で、コマごとに同じ顔を描くので、「私はもう十分やってるから、責任を果たしてる」みたいな理由でしょ。

さくら　そうなんですよ。調べればわかることって、私が書く必要ないし、自分で覚えてる必要もない。調べちゃえばいいんですから。だから、そんなことじゃないところを書きたいんですよ。そんなことじゃないことを覚えていたい。

糸井　果実はなくても味だけあればいいんですよね。パパイヤは現存しなくても、そのあたりをかじったらパパイヤの味がした。

さくら　それのほうがいいですよねえ。パパイヤがあっても味がしないより。

糸井　ないのに、おいしかった。それはフィクションの一つの理想ですよね。まあ、いわば夢精のようなことですけど。つまり女がいなくても気持ちよければそれでいいわけですからね。

すべては、「これでいいのだ」

糸井　きのう、四時間ぐらいの「喪服の似合うエレクトラ」という芝居見てきたんです。すごいいい芝居なんですけど、内容そのものはもう嫌がらせとしか思えないような話なんです。せっかく楽しく、ご機嫌でのうのうとやってるのに、舞台見てる間はどんよりして、生きるのが嫌になっちゃった。で、よーく問い詰めてみると、それは愛のせいなんですよ。愛とか恋とかのせいであんなややこしいことになっちゃう。

さくら　なくていいじゃないですか、愛とか恋とか（笑）。

糸井　んなものがあるだのないだの脅《おど》かすから、みんなが「ないわ」と嘆いたりする。バカボンのパパなんかさ。

さくら　昔から言ってるじゃないですか（笑）。「これでいいのだ」だもん（笑）。私も、バカボンのパパについてはいつも思うんです、「ほんとにそうなんだよな」って（笑）。

糸井　みんながバカボンのパパでいいのだ（笑）。

さくら　ほんとに、「これでいいのだ」ということなんですよ。私、今日は糸井さんに会うの久しぶりだし、一応ちゃんとしてるんですけど、だいたいいつも簡単なTシャツとジーパンなんです。何でそうなったかっていうと、私、町歩いてても目的地まで一直線。道々ウンコとか踏まないかなって気をつけてるだけで、ほかの人見てないんですよ。と考えると、自分も見られてないんじゃないかと思うんです。みんな見られてると思ってきれいにするかもしれないけど、誰も見ちゃいないんですよ。

糸井　人のことなんか誰も気にしてない。

さくら　だから「これでいいのだ」なんですよね（笑）。

糸井　あらゆることが「これでいいのだ」。

さくら　そうなんですよ。おなか痛いとか、何か明白な原因がある場合はよくない場合があるかもしれないですけど、それ以外は大抵はいいんですよね。

糸井　ももちゃんもやっぱりその世界にいたか。きっと昔の人なら、お経に「これでいいのだ」と書いたんだよ、いろんな言い方で。でもおれらの時代には、赤塚（不二《ふじ》夫《お》）先生がお経を全部翻訳してくれた。

さくら　インド哲学や何かだって、「これでいいのだ、だから余計なことを考えずにそのままでいろ」ということなんでしょ。すごく大雑把《おおざっぱ》に言えば。

糸井　前に、ももちゃんが本のタイトルにした「そういうふうにできている」。あれも「これでいいのだ」ということだもんね。

さくら　だから結局、迷惑かけている場合と、明白に「そんな場合ではないのだ」みたいなとき以外は「それでいいんだ」し、「そういうふうにできている」ですよ。

糸井　うん。それで、たまにバカボンのパパって悪いこと考えたりするでしょ。お金をまいて、地図を書いて、友達を野放しにしておいて、「これがなくなっているのだ」とか言う。あれもおかしいよね。

さくら　いいんですよ、それも。「たまには仕掛けるのだ」も含めて、「それでいいのだ」(笑)。私もいたずら、すごく好きなんですよ。大体、小学校六年生男子ぐらいな感じですね、いつも。

糸井　だから、さっき、稲の苗のままでパパイヤになっちゃったと言ったんだ。

さくら　だから大体六年生男子ぐらいが好きなことが好きなんですよ。ゲームやってどうだとか、チョコレート食べようとか、プリン食べてたりとか、気ままなんですよね。あとジュースごくごく飲んで「健康にいいんだぜ」とか。あと服はユニクロ。

糸井　暇つぶしは美容院でね。

さくら　で、「どうだー」って。

小学校六年生男子のスカートめくり

糸井　ももちゃんと僕と共通してるのは、何をおもしろがるかってことなんだけど、『ガラスの仮面』はハマったよね。ああいう、しっかりと見え切った話。白塗りでいいじゃないの、みたいな。

さくら　あれはいいですよね、やっぱり自分は描けないけど、ありなんですよ。

糸井　ももちゃんは、根性がないですよね。ついプーッとおなら出ちゃうんですよね。

さくら　やっぱり、私はある程度斜めに見てる部分があるじゃないですか。でも、『ガラスの仮面』は、おもしろがり屋から言ったらたまんないものがある。

糸井　そういうんだったら、『風雲児たち』。江戸時代、一六〇〇年から幕末までの漫画が三十巻になってる。これね、泣くよ。ロシアに渡った大黒屋の話とかね。

さくら　おもしろい、おもしろい（笑）。そう言えば、糸井さんも私も、『北の国から』は、どっぷりいっちゃいましたよね。泣いちゃいましたね、真剣に。

糸井　あれは、倉本（聰《そう》）は悪いね。

さくら　悪いですよね（笑）。うまいですよ、ほんとうに。あんな長いスパンであんなことって、やっぱりできないですよ。すごく男の人の作品だと思う。

糸井　あと、過酷な状況に追い込んでいって、ドキュメンタリーとして芝居をやらせるみたいなことするじゃない。あれは心の悪い人だけの方法だよね（笑）。だって役者たちがみんな嫌がってたんだよ。

さくら　大変だったみたいですよね。純くんもね。

糸井　おかげで僕らは楽しんだんですけど。

さくら　ほんとうに、大泣きでした。やられた感ありましたよね。

糸井　やられたと言えば、すでに三巻出てるDVDなんですけど、『地球大進化』というのがあるんです。これはね、こたえられません。地球はいろいろなひどい目に遭《あ》ったが故《ゆえ》に、そこにこそ生き延びる道があったというもう壮大な物語。二億年前とかってつい最近ですからね。何でおれたちが陸にいるんだ、みたいな話も全部入ってます。今、三巻までまとめて箱に入って売ってますから、ぜひごらんになってください。NHKの科学ドキュメンタリー。これね、下手《へた》したら泣きますよ。

さくら　NHKスペシャルの脳とかそういうサイエンスものの一つですね。私、『人体』

でも泣いたんですよ。

糸井　わかるなあ。「人体、よくやった！」って。

さくら　そうそう。人の尊さ。

糸井　でしょう。『北の国から』と『地球大進化』は同じです。自分たちが絶対できない仕事。一句詠《よ》むみたいなことばっかりね。足し算足し算で長くなっていく。

さくら　それで、結局は、「これでいいのだ」。

糸井　『地球大進化』も「これでいいのだ」だよね。割食っちゃったやつだけが生き延びてるんですよ。そりゃ感動です。大逆転物語です。マンモスとか追い込んでるところとかもいいんだよ。人間は弱いじゃない。食糧を確保するのに、シベリアの大地で、鐘や太鼓でピーヒャラピーヒャラやりながら、マンモスを「こっちだこっちだ」とか、沼地のほうに追い込んでいくわけ。そういうやつらがほかの大陸から回ってきたのが日本人なんです。

さくら　頭いいですよね。

糸井　北から来た。で、もう一方は南から舟に乗ってやってきた、サバ食ってきた人たちですよ。その後で中国から、どうもこの国はいづらいと思った人たちがドドドッと来たんです。この三種類の人たちが混じって我々日本人になった。そう思うと、いいんですよ。それ見るとじーんときます。

さくら　今ここに自分がいることに感動する。『人体』もそうでしたけどね。

糸井　免疫のこととか、切なくなるぐらいよくやってますよね。

さくら　たった一つの機能が、もし人間がそれと同じシステムをつくる場合には国家予算ぐらいの金額をかけてもつくれないぐらいのシステムなんですって。それが、どんなしょうもない奴でもあるわけですよ。

糸井　人間はハエ一匹つくれやしないんだけど、ハエはハエをつくれるんですよ。

さくら　だから、「そういうふうにできている」んですよね。腎臓《じんぞう》の浄化作用とかもすごい。人間一人つくるには、地球の全予算をかけたってできないです。尊いなあと思いましたね。よく、命はお金じゃ買えないって言うけど、本当です。

糸井　やっぱり子供産んでよかったね。

さくら　そう思うとね。自分の体がそんなシステムをつくるわけですから。

糸井　子供を体内に宿すって言うじゃないですか。ある日、あれ、うそだなと思った。あれは、体外なんですよ。子宮って、ピンと張ったら外なんですよ。だから、あれは外海を内側にどうぞ使ってって言っただけで、赤ん坊がいる場所って外なんです。

さくら　ほんとうに、そうです。血液型も違いますからね。だって、女なのに男ができること自体、変ですよ。私、自分に似た男の子のイメージが湧《わ》かなかったんですけど、生まれたとき、麻酔が醒《さ》めない中で「坊っちゃんです」という声が聞こえて、見たら自分に似てたんですよ。「ああ、自分の中で男の子ができるんだ」とすごく思いましたね。子供は別なんです、自分とは。

糸井　体内にいるときに、血液に乗っけていろいろなものをヤツに送り込んでいるわけじゃない。それがヤツになっていくわけじゃないですか。生まれてからも、ヤツを育てることで何かがヤツに送り込まれていくわけでしょう。すごいよね。自分らもそれを親にしてもらった。この循環って、考えると気が遠くなるよね。

さくら　繰り返されてきているわけですからね。こんな話好きだな。私、十五ぐらいから、「自分はどこからきたのか」という興味が明らかになってきたんです。

糸井　僕も、「えっ、何で」と思うのが好きなんですよ。早い話が、壮大なスカートめくりを一生やっているみたいなところがあるんです。

さくら　私もそうなんです。だから小学六年生男子なんですよね。で、めくったら赤いパンッだったりして、見たらそこで納得するんです。「そうか」で終わるんですよ。

糸井　その日の気分では「もう少しいいですか、すみません」と、謝りながら迫る、みたいにね。誰かがめくってくれたのを「あ、どうもすみません」と言ってみたり。だからストリッパーとか、開陳《かいちん》する人がものすごく好きですね。共感がある。表現するってもともと露出症で、露出症とのぞき見症は根本的には同じです。だから過剰に出したい、見たい。それが宇宙であれ何であれ、北海道の大地であれ、見せてくれるんだったら、「いいですか」みたいな。

さくら　ただ、それは興味があることに対してだけなんです。私、すごい極端で、何でも知識を広めたいわけじゃなくて、むだなことはむだって、すごいドライです。

糸井　「おれ、関係ないから」みたいな？　あと、そっち行くと足とられるからというのもあるんですよ。そこは踏み込んでだめになった人がいっぱいいる、とかね。たとえば「ゴルフは危ない」と思う。おもしろいに決まってるんです。だけど、みんなが同じようなおもしろがり方なんですよ。だからそこはさわらないとかね。

さくら　パチンコとか、ありますね。落語なんかも。

たぶらかし精神を磨いてる

糸井　ちょっと作品の話しましょうか。まる子ちゃん、読んでると、脳内物質がパーッと出てきちゃうんですね。あやしいですよ。あやしいです。渦巻き状のあやしさ。変な人を演じたときに、ひげが巻き過ぎてるみたいな。「それおかしいだろう」っていうのを、何か盛り込んでるじゃない。あの気持ち悪さがないと、ただかわいいじゃだめなんだよね。

さくら　そうなんですよね。私、自分が漫画家になって随分たってから、大友克洋《おおともかつひろ》さんの本を読んだんです。やっぱりすごく上手で、自分は一体、この人と同じ職業っていうのはどうだろうと思った。

糸井　思うよね。もし比べたらね。

さくら　それで、その後すぐ自分のを読んだんですよ。そしたら、「大友克洋にはない何かが自分にはある」と思ったんですよ（笑）。それでやっていけるって。

糸井　世界中の人がその発見をすればいいと思う。うちの事務所に二人、まったく絵が描けないのに絵を描いてるのがいるわけですよ。その二人が北斎《ほくさい》美術館に行って、

Aが、おれに「何か表現意欲をかき立てられます、ライバル意識が湧いてきた」と言うんですよ。おまえ、北斎とライバルかよって大笑いしたんです。その後で、Bに「Aがライバル意識かき立てられますねと言ってたぞ」って言うと、Bは「いや、違うから」。ライバル意識よりもさらにおそろしい世界（笑）。だから生きていけるよね。

さくら　私の場合もそうだったんですよ。違うからっていうか、「大友克洋にはない何かが自分にはある」って（笑）。何かしらね。

糸井　おれ、わかるよ。ももちゃんはももちゃんで、自分の描いた漫画を「私ならこれを買うな」って思うんです。

さくら　好きなんですよね。で、作品を好きってことは自分を好きってこと。毎日、作品描いていても飽きないのは自分が好きなんですよ。自分で何を考えているかという表現がそこに出るじゃないですか。それを見るのが好きなんですね。

糸井　おれって、こんなふうに考えてたのかと知るのは、すごくいい。「違うからの発見」ですね。やっぱり人の数だけ、いろいろな物語があるんですよ。

さくら　読み手の感性に任せるしかないというところがあります。

糸井　あと読み手をたぶらかすというやり方もあるけどね。まあまあまあ、っていう。
さくら　「これもありだよ」って、読み手をたぶらかす（笑）。
糸井　やりますよ、それはだって。
さくら　商売ですからね。
糸井　いろいろなふうにたぶらかしますよね。だってゲームつくるのだってそうだしさ。漫画だって、次のページに行く前に「ああおもしろかった」と言われたら困りますからね。めくった時に何が出るでしょう、みたいな楽しみもありますからね。「さあおいで」っていう。これは、子供の話にはなかなか出てこないです。子供はただ順番に話すだけですから。僕らは、結論から話し出したりする。
さくら　そこからですよ、話は。そういう意味では、糸井さんは私の先輩です。たぶらかしていいんだと教えてくれた。糸井さんが出てくる七〇年代までは、日本は国民的にもまじめだったんですよ。『ビックリハウス』で糸井さんが、おもしろくてかっこいいっていうのを提示してくれた。つまり日本人に遊び心を提供したのが糸井さんたち。八〇年代は収穫がない時代だって言う人もいるんだけど、私にとっては今までにない収穫です（笑）。笑いについて日本人が本気で考えたのは八〇年代だと思う。糸井さんたちの考えてた笑いが全部好きだったんで、全部見てました。

糸井　そのときは漫画家になろうって思ってないの。

さくら　漫画家にはなりたかったんですけど。

糸井　絵が違うし、みたいな。

さくら　大友克洋じゃないし（笑）。でも、なりたかったんで、もうじき十八になるときから投稿したんです。一回目は全然だめだったんです。少女漫画を描いたんですけど、それが下手でね（笑）。その次にエッセイ漫画を思いついて描いたら入選し始めて、デビューに向かいました。『ビックリハウス』を読んでたのは、そのころですね。漫画家になれたら糸井さんにも会えるんだろうなと思ってましたよ。だから漫画家になって、東京へ住みたいという希望はすごく強かった。

糸井　静岡を出たいと思ってた？

さくら　東京に出たかったんですよ、すごく。しかも自分の好きなことで出たかったですね。でも、多分大抵のことは夢で終わって、結局はＯＬになって、静岡でどこかわからないけどサラリーマンと結婚して、子供二人くらいつくるだろうなと思ってた。一応お勤めしたんですよ。二ヵ月。

糸井　なぞのお勤め（笑）。その二カ月って、社会から見たら、ただのこらえ性《しょう》のないばかじゃない。そういうやつよくいるんだよ、漫画家になりたいとか言ってさあ、みたいな。ももちゃんと、そこの違いは何だろう。

さくら　デビューしてたんですよ、そのときは。

糸井　ああ、保険があったんだね。自信もあるし。

さくら　今はここでこういうことをしているけれど、私はこんなこと今後するつもりはないという気持ちでやっていたんで、二カ月ぐらいは我慢できた。でもそれ以上は無理でしたね（笑）。会社をやめるきっかけは連載が決まったからなんです。

糸井　はっきりしてるね、それは。不安があったんじゃやめられないよね。

さくら　だから退社のときにも、私すごく仕事できなかったんですけど、円満退社でした。上司にすごくいい人がいて、ちゃんとみんなに話してからやめろとアドバイスしてくれたんです。で、五十人か六十人ぐらいの部署の人の前で、「私はほんとうはさくらももこという漫画家で、『ちびまる子ちゃん』という連載を始めるのでやめますけれども、皆さんも機会があったら読んでください」みたいな挨拶《あいさつ》しました。

糸井　ももちゃんの人生が大河ドラマになるときには、そのシーンが前半のクライマックスになるな（笑）。いいシーンですね。

さくら　糸井さんのコピーライターの目覚めはいつなんですか。職業自体が新しかったじゃないですか、コピーライターって。

糸井　よくわからないままなんですよ。中学のときの知り合いの女の子が、コピーライターというもののバイトをしていて、とにかく一本書くと五千円もらえると。で、僕がやっていたとび職見習いのバイトが一日二千五百円で、それはすごくよかったんですよ。だから一本書いて五千円ってすごいでしょ。で、そいつよりどう考えてもおれのほうが才能あるんですよ。だから、おれ百本ぐらい書ける、楽でしょうがないじゃんかと思った、それが始まりです。やってみたら世間を知らないから、恐いもの知らずで得しちゃったというか。デビュー当時の漫画なんかもそうだろうけど、自分じゃ書けてるって思ったものが後で見るとあんまり書けてなかったりする。

さくら　ほんと、それは思います。

糸井　おれもそうでした。ずーっと「楽勝じゃん」と思いながら、今日に至るんですよ。「楽勝じゃん」と言ってる自分がここまで引っ張ったんですよ、きっと。

さくら　コピーライターという職業自体、糸井さんが出るまで聞いたことなかったですからね。なかったですよ、そんな職業。

糸井　あったんだけどね（笑）。

さくら　なかったと同然ですよ、田舎《いなか》の人は知らなかったわけですから。田舎で知らないっていうことはないということですからね。

糸井　逆に言うと、また知られなくなってるかもしれないね。

さくら　そんなことないですよ。

糸井　今は、また知られなくなってるかもしれないなっていう気がしてる。もう僕としては終わってるんですよ。だって、広告の媒体使わなくたって広告ってできるじゃないですか。うちで本を出したりしてますが、それは極限のコピーライターの仕事です。だけどコピー書いた覚えないし、広告としての媒体もない。そうやって考えると、もうあのくくりはできないなと思う。便利だからコピーライターと言ってますけどね。ほかに名前つけようがないんです。

さくら　私も、漫画家だけど作詞とかもしてるし。だから、やれることをやってるだけっていうことです。でも、私、プロってすごいなと思うんですよ。今、自分で描いても、やっぱり素人《しろうと》には描けないだろうなって思いますからね。

糸井　そうですよね。大友とは違う意味でね。

さくら　大友とは違うけど（笑）。毎日描いてたら、上達するんですよね。アングルや何かのひらめきとかも、全部。

糸井　もともと変なことを考えてた人じゃないですか。変なことの考え方も上手になるでしょ。どこかでみんな、ももちゃんのこと、間違ってると思うよ。ノスタルジーの漫画家だと思ってる。思い出話を順番に描いてると思ってる。それはありえないよな。

さくら　それやってたら、身がもたないです。だから、創作っていうことを、みんなにもっとわかってほしい。

糸井　僕らもよく「おれでも書ける」ってよく言われますよ。

さくら　絶対書けないんですよ、でも。

糸井　「おれでも書ける」というのを書かないとだめなんです。「おれでは書けない」のを書いちゃったら失敗ですね。だって浮いてるってことだから。つまり、きれい過ぎる女性が、髪の毛まきまき縦ロールみたいなのしてここにいたら白《しら》けるでしょう。そういうことなんですよね。

さくら　「これでいいのだ」作家にとっては、さりげないけど頭はフル回転みたいなことなんですよね。違和感がなくて、読みやすくてシンプルで、しかもテンポがあって愉快っていう作品を描こうと思っているんですけれど、それはそれは頭使いますね。

糸井　うそばっかりいっぱい描くんだもんね。

さくら　つくり話ですからね。愉快にしようと思って描いてるだけですから。

糸井　大変ですよね。やっぱりおもしろいことっていうのは尽きないものですか。

さくら　そうですね、いろいろあります。でも、私、愉快な作家でよかったなあ。

糸井　愉快な、「これでいいのだ」作家。いいじゃないですか。

さくら　ですね。

糸井　ですよ。

この作品は一九九七年九月、集英社から刊行されました。

集英社文庫

さくらももこ作品リスト

ももかんづめ

水虫に悩める乙女を救った奇跡の治療法ほか、笑いのツボ満載の初エッセイ集。（巻末対談・土屋賢二）

さるのこしかけ

インド珍道中の思い出など、〝読んで悔いなし〟の爆笑エッセイシリーズ第二弾。（巻末対談・周防正行）

たいのおかしら

歯医者での極楽幻想体験から父ヒロシの半生まで、爆笑エッセイ三部作完結編。（巻末対談・三谷幸喜）

まるむし帳

やわらかな絵とあたたかな言葉が織りなすハーモニー。著者初の詩画集。（巻末対談・谷川俊太郎）

ももこのいきもの図鑑

大好きな生き物たちとの思い出をやさしく鋭く愉快につづるショートエッセイ集。カラーイラスト満載。

Momoko's Illustrated Book of Living Things

『ももこのいきもの図鑑』英語版が登場！ 英語が得意な人も苦手な人も、楽しく読めることうけあい。

のほほん絵日記

トホホな事件や小さな幸せがつまったカラフルな毎日をつづる、桃印絵日記。書き下ろし作品も大充実。

あのころ

「まる子」だったあのころをふりかえる、懐かしさいっぱいの爆笑シリーズ第一弾。（巻末Q&A集収録）

集英社文庫

まる子《こ》だった

2005年３月25日　第１刷
2025年10月25日　第17刷

定価はカバーに表示してあります。

著　者　さくらももこ

発行者　今野加寿子

発行所　株式会社　集英社
東京都千代田区一ツ橋2-5-10　〒101-8050
電話　【編集部】03-3230-6095
【読者係】03-3230-6080
【販売部】03-3230-6393(書店専用)

印　刷　中央精版印刷株式会社　株式会社美松堂

製　本　中央精版印刷株式会社

フォーマットデザイン　アリヤマデザインストア　　マークデザイン　居山浩二

ISBN978-4-08-747796-2 C0195